SOS Ayuda Con Las Emociones

Cómo Manejar la Ansiedad, la Ira, y la Depresión

www.sosprograms.com

"No tiene derecho a hablarme de esa manera. No debe, no debiera haberme insultado. ¡Es un @#*&$! ¡Estúpido! ¡Qué clase de @#*&$ diría semejante cosa! ¡No-puedo-soportar que diga eso!

> APRENDA A ESCUCHAR LO QUE USTED ESTÁ DICIENDO CUANDO SE HABLA A SÍ MISMO. AQUÍ ENCONTRARÁ LA CLAVE DE SUS EMOCIONES.

La causa principal de nuestras emociones y conductas son nuestros pensamientos, nuestras evaluaciones de los acontecimientos, y nuestras conversaciones mentales.

¡Maneje la Ansiedad, la Ira, y la Depresión!

Lea SOS Ayuda Con Las Emociones. ¡Maneje sus emociones antes de que ellas lo manejen a usted!

SOS Ayuda Con Las Emociones lo ayudará a:

- Conocerse a sí mismo
- Conocer sus emociones
- Manejar sus emociones
- Manejar sus relaciones
- Estar más contento
- Alcanzar sus metas personales
- Mejorar su inteligencia emocional

¡LEA LO QUE LA GENTE OPINA DE SOS!

"Capta bellamente el espíritu de la Terapia Racional Emotiva y Conductual de manera concisa, evocativa, y humorística. Una joya para introducir la TREC".

> - Albert Ellis, Ph.D., Abuelo de la Terapia Cognitiva y Conductual.

"¡SOS es una obra hermosa! El uso de historietas, dibujos e ilustraciones la hace muy atractiva".

> - Donald Beal, Ph. D., Profesor de Psicología de la Universidad de Eastern Kentucky

¡Es espectacular! SOS es el mejor libro de auto-ayuda que he visto en la Terapia Racional Emotiva y Conductual".

> - Raymond DiGiuseppe, Ph. D. Director de Educación Profesional en el Instituto Albert Ellis y ex-presidente de la Asociación de Terapias Cognitivas y Conductuales.

También de Lynn Clark, Ph. D.

SOS Ayuda Con Las Emociones: Cómo manejar la ansiedad, la ira, y la depresión.

Edición en Inglés	SOS Programs & Parents Press
Edición en Turco	Evrim Yaymevi ve Tic.Ltd. Co.
Edición en Coreano	Kyoyuk-Kwahak-Sa, Ltd.
Edición en Chino	Beijing Normal University Press
Edición en Japonés	Tokyo Tosho, Tokyo, Japan

Programas de Educación para Padres

SOS Ayuda Para Padres: Una guía práctica para manejar problemas de conducta comunes y corrientes. Terecera Edición.

Edición en Inglés	SOS Programs & Parents Press
Edición en Español	SOS Programs & Parents Press
Edición en Coreano	Kyoyuk-Kwahak-Sa, Ltd.
Edición en Chino	Beijing Normal University Press
Edición en Chino	Taiwan, Psychological Co., Ltd.
Edición en Turco	Evrim Yaymevi ve Tic.Ltd. Co.
Edición en Húngaro	Budapest, Pedagogia Szervezet
Edición en Islandés	University of Iceland
Edición en Arabe	Yousef Abuhmaiden, Alkerak, Jordania
Edición en Japonés	Tokyo Tosho, Tokyo, Japan

> Visite nuestro sitio de internet y vea las muestras de los videos de SOS sobre métodos para manejar la conducta de los niños, tanto en Español como en Inglés. Puede bajar copias gratis de los materiales de SOS en
> **<www.sosprograms.com>**

DVD Video SOS Ayuda Para Padres, programas educativos

Edición en Inglés	SOS Programs & Parents Press
Edición en Español	SOS Programs & Parents Press
Edición en Húngaro	Budapest, Pedagogia Szervezet
Edición en Islandés	University of Iceland

Español SOS

SOS Ayuda Para Padres:
Una guía práctica para manejar problemas de conducta comunes y corrientes

Ediciones internacionales e idiomas

Inglés SOS

Turco SOS

Japonés SOS

Chino SOS
Beijing Normal Univ

Coreano SOS

Chino SOS
Taiwan

Húngaro SOS

Arabe SOS

Islandés SOS

v

SOS Ayuda Con las Emociones:
Cómo Manejar la Ansiedad, la Ira, y la Depresión

Ediciones internacionales
e idiomas

Español SOS

Inglés SOS

Turco SOS

Chino SOS

Coreano SOS

Japonés SOS

SOS

Ayuda Con Las Emociones:

Cómo Manejar la Ansiedad, la Ira y la Depresión

Lynn Clark, Ph.D.

SOS Programs & Parents Press
Post Office Box 2180
Bowling Green, KY. 42102-2180 U.S.A.
Telephone: 270-842-4571
Toll free: 1-800-567-1582
Fax: 270-796-9194
Email: sos@sosprograms.com
www.sosprograms.com

SOS Ayuda Con Las Emociones:
Cómo Manejar la Ansiedad, la Ira, y la Depresión

Copyright © 2009 de Lynn Clark

Publisher's Cataloging-In-Publication Data

Clark, Lynn, date.
  [SOS help for emotions. Spanish]
  SOS : ayuda con las emociones : cómo manejar la ansiedad, la ira y la depresión / Lynn Clark.

  p. ; cm.

  Spanish translation of: SOS help for emotions : managing anxiety, anger, and depression. 2nd ed.
  "SOS: ayuda con nuestras emociones."—T.p.
  "SOS: programas auto-ayuda."—T.p.verso.
  Includes bibliographical references and index.
  ISBN-13: 978-0-935111-75-0
  ISBN-10: 0-935111-75-1

1. Emotions. 2. Emotions—Problems, exercises, etc. 3. Cognitive therapy—Popular works. 4. Anxiety—Popular works. 5. Anger—Popular works. 6. Depression—Popular works. I. Title. II. Title: Ayuda con las emociones

BF561 .C5718 2009
152.4   2008909868

Published in the United States of America
Published by: SOS Programs & Parents Press
Post Office Box 2180
Bowling Green KY 42102-2180 USA
Telephone: 270-842-4571
Toll free in USA: 1-800-576-1582
Fax: 270-796-9194
www.sosprograms.com

20 19 18 17 16 15 14 13 12 11 10 9 8 7 6 5 4 3 2 1

DEDICATORIA
A Carole, Eric, y Todd

Nota Editorial

ADVERTENCIA

La intención de este libro es proveer información sobre la materia especificada. Se entiende que con su venta, tanto el autor como los editores no están brindando servicios psicológicos, médicos o profesionales.

El resolver los problemas emocionales es a veces una tarea ardua. En caso de necesitar asistencia experimentada, busque la ayuda de un profesional competente. El Capítulo 11 explica cómo conseguir ayuda profesional.

Con frecuencia algunos profesionales de la salud mental le piden a sus clientes que lean SOS en combinación con la terapia.

Sobre la Traductora

María Beatriz Alvarez, LCSW-R, CSW tiene más de 25 años de experiencia de trabajo con niños y familias. Durante estos años, ha asesorado a maestros, consejeros escolares, pediatras, psicoterapeutas, y otros profesionales que trabajan tanto con niños como con adultos.

María Beatriz nació en Buenos Aires, Argentina, en 1959 y desde 1992 reside en los Estados Unidos. En Argentina María Beatriz estudió historia, teología, filosofía y ciencias de la educación , recibiendo el título de Profesora de Filosofía y Ciencias de la Educación en la ciudad de Córdoba. En los Estados Unidos obtuvo un título de postgrado en trabajo social de la "Boston University", en Massachusetts. Actualmente está haciendo sus estudios doctorales en trabajo social clínico en la ciudad de Nueva York en "New York University" donde también da clases como profesora adjunta en la carrera de postgrado en trabajo social clínico.

Desde su graduación, María Beatriz practicó el trabajo social en la clínica de Pediatría del "Children's Hospital of Boston" en Massachusetts. En 2001 fue invitada a crear el Equipo Latino de Psiquiatría Infantil y del Adolescente en el "Saint Vincent's Hospital" en la ciudad de Nueva York donde asistió a familias directamente afectadas por el ataque del 11 de Septiembre de 2001. Trabajó como psicoterapeuta de niños, adolescentes, y familias primero en el "Saint Vincent's Hospital" y luego en el "Morgan Stanley Children's Hospital of New York Presbyterian"donde hoy es directora de trabajo social, a cargo de la supervisión clínica de varios programas.

Como educadora, Maria Beatriz ha trabajado en diversas escuelas y agencias comunitarias, tanto en Argentina como en los Estados Unidos, donde ha enseñado filosofía, entrenamiento profesional y educación para adultos. Durante los últimos años ha presentado ponencias en congresos académicos y participado en proyectos de investigación en el campo del trabajo social clínico.

La Sra. Alvarez ha viajado por diversos países de habla hispana y tiene considerable experiencias como maestra y traductora de español. Su primera colaboración con el Dr. Lynn Clark fue en la traducción del libro SOS Ayuda Para Padres, que es un libro de educación para padres en el uso de técnicas para el manejo de la conducta de los niños.

Actualmente Maria Beatriz vive cerca de la ciudad de Nueva York con su esposo, Michael Bettencourt, escritor independiente y autor dramático, quien ha contribuído a esta traducción de SOS Ayuda con las Emociones al español brindándole a Maria Beatriz su apoyo técnico en materia de diseño gráfico en computadora, su aliento, y su amor.

AGRADECIMIENTOS

SOS Ayuda Con Las Emociones está basado en la terapia cognitiva conductual. Le agradezco especialmente a Albert Ellis, el padre de la terapia cognitiva conductual quien ha contribuído profundamente al arte y ciencia de la psicoterapia durante más de 45 años. Le agradezco al Dr. Ellis que haya revisado y criticado uno de los primeros borradores del Capítulo Dos, que es un capítulo central. El Dr. Ellis, quien enfatiza la importancia del humor en la adaptación emocional, gexntilmente me autorizó a incluir la historieta del Capítulo 13.

Ray DiGiuseppe, Director de la Educación Profesional en el Instituto Alber Ellis de Terapia Racional Emotiva y Conductual y Profesor de Psicología en la Universidad de Saint John, revisó el manuscrito y contribuyó con sus ideas para mejorarlo. Don Beal, Profesor de Psicología de la Universidad del Oeste de Kentucky también ayudó a mejorar el manuscrito luego de revisarlo. Los comentarios y sugerencias de estos terapeutas experimentados hicieron SOS Ayuda Con Las Emociones un libro más útil e interesante.

Carole Clark, Eric Clark, y Todd Clark leyeron y criticaron cada uno de los muchos borradores del manuscrito y sus ilustraciones. Me dieron sugerencias valiosas en cuanto al estilo y claridad de los conceptos. Todd mantuvo las dos computadoras necesarias para este proyecto.

Las personas de la Unversidad de Eastern Kentucky que contribuyeron con SOS son: Libby Jones, Ned Kearny, Clint Layne, Judy Pierce, y Bill Pfohl. Cindy Oetting y Terry Oetting revisaron varios capítulos.

La corrección y edición de pruebas de manuscrito la hizo Mary Dilligham. Betty Kerby y Joanie Powers ayudaron a evaluar y sugerir mejoras de las ilustraciones e historietas.

John Robb dibujó las ilustraciones de SOS Ayuda Con Las Emociones como también el libro anterior SOS Ayuda Para Padres. A John le pareció que el mensaje de SOS era valioso y aunque estaba jubilado como dibujante, aceptó hacer las ilustraciones. Me entristecí al saber que falleció mientras dormía. La hija de John, Kathy Robb Parks, una artista comercial que vive en Chula Vista, California, completó las pocas ilustraciones que faltaban.

Los lectores de SOS incluyendo los profesionales de la salud mental, han ofrecido muchas sugerencias a la primera edición y contribuído con ideas para la segunda edición.

Le agradezco a todas las personas que he mencionado por sus diversas contribuciónes.

IRA POR AMOR PROPIO

"En el pasado creía que los demás jamás debían despreciarme y si lo hacían, me sentía sin ningún valor y no-lo-podía-soportar. ¡A causa de esta creencia me metí en muchas peleas! Estoy esforzándome en aceptarme a mí mismo e ignorar lo que los otros dicen o piensan".

Por lo general, las amenazas a nuestra auto-estima o amor propio son las que provocan nuestra ira. Nuestras creencias y conversaciones mentales son las que causan principalmente nuestra ira, y no lo que los demás dicen o hacen.

La gente con un problema de cólera le dan un valor positivo a la dureza y la agresión. Como adultos corren un alto riesgo de tener problemas de ajuste emocional.

Indice Temático

SOS

Ayuda Con Las Emociones:

Cómo Manejar la Ansiedad, la Ira y la Depresión

www.sosprograms.com

CREENCIAS Y CONVERSACIONES MENTALES
QUE CAUSAN ANSIEDAD

"Me gustaría invitarla a salir, pero temo que no acepte mi invitación. ¡Si me dice que no, va a ser horrible, me sentiré despreciable, y no-lo-podré-soportar!"

SUS CONVERSACIONES MENTALES Y SUS CREENCIAS SON LAS QUE PRINCIPALMENTE DETERMINAN SUS EMOCIONES Y SU CONDUCTA.

LEA, ESTUDIE, PRACTIQUE SOS

INTRODUCCIÓN

SOS Ayuda a las Emociones es su guía para manejar una variedad de problemas emocionales comunes. Nos fijamos en preguntas y respuestas a los problemas de este tipo:

Tipos de Problemas Emocionales que Enfrenta la Gente

- ¿Acaso Julia, que tiene diecisiete años, necesita tener un cuerpo absolutamente perfecto para tener una auto-estima saludable?

- ¿Existe un punto intermedio entre expresar la ira y guardársela completamente?

- ¿Cómo puede María manejar su ansiedad para que no le impida presentar su conferencia en la escuela?

- ¿Soy yo el responsable de mis propias emociones o lo son otras personas o los acontecimientos desagradables?

- ¿Cómo puedo afrontar de una manera más efectiva la ira, el resentimiento, la preocupación y la frustración?

- ¿La gente se siente más "estresadas" con las cargas que otros les imponen o con las cargas que se imponen a si mismas?

- ¿Qué son los trastornos de pánico, maníaco-depresivo, obsesivo-compulsivo, la agorafobia, y la fobia social?

- ¿Cómo puede ser que luego de haber sido despedida de su trabajo, Bárbara sufriera de depresión durante los meses siguientes?

- ¿Qué es lo que José puede hacer cuando le dan ataques de pánico?

- ¿Tomás la quiere invitar a salir a Juliana. Cómo puede superar su ansiedad para lograrlo?

Porqué escribí el libro *SOS Ayuda a las Emociones*

Mi primer objetivo al escribir SOS Ayuda a las Emociones es ayudar a la gente a que maneje mejor su ansiedad, ira, depresión, y otros sentimientos desagradables. Como resultado de la aplicación repetida de los métodos y principios de SOS Ayuda a la Emociones usted será capaz de manejar más efectivamente los problemas y frustraciones de la vida. Se sentirá más contento e incrementará su capacidad para establecer y lograr objetivos realistas.

SOS enseña principios y métodos de auto-ayuda desde la perspectiva de la terapia cognitiva y conductual (y especialmente desde la terapia racional, emotiva y conductual). En SOS Ayuda a la Emociones he intentado explicar claramente estos métodos de auto-ayuda de una manera atractiva e interesante. Es por esta razón que he usado ilustraciones extensivamente. Escribí *SOS Ayuda a las Emociones* porque no pude encontrar otro libro como éste.

Quién Puede Beneficiarse con SOS?

SOS está dirigido tanto a los adultos como a los adolescentes mayores que quieren lograr más auto-conocimiento y un mayor control sobre las emociones que son desagradables.

Escribí SOS para gente interesada en entender cómo ocurre el cambio emocional positivo, para los pacientes de psicoterapeutas, y para mucha gente que escoge no tener un consejero pero quiere mejorarse a través del estudio de materiales de auto-ayuda. Aquellas personas que quieren aumentar las habilidades relativas a la inteligencia emocional van a encontrar que SOS les resulta muy útil.

La mayoría de los consejeros recomiendan libros de auto-ayuda a sus pacientes. El SOS está también escrito para aquellos consejeros que quieran acelerar la terapia asignando materiales de lectura a sus pacientes para que aumenten su auto-conocimiento y hagan un cambio positivo. SOS puede usarse en una variedad de programas y lugares al servicio de adultos y jóvenes. Muchos de estos programas están listados en el capítulo 13 (información para los consejeros).

Los actos de ira y violencia se están volviendo más habituales en la sociedad contemporánea. Qué podemos aconsejarle a la juventud que haga con su ira, que la guarde o que la exprese? Las educadores, los consejeros escolares, los padres, y los profesionales de la ayuda tienen la responsabilidad de asistir a las personas en sus problemas emocionales y de relación con los demás. Los métodos y principios de SOS les serán útiles cuando estén ayudando a los jóvenes y a los adultos a comprender las causas de sus sentimientos desagradables y aprender a manejar sus emociones.

Estudiantes universitarios de todos los niveles que estudian psicoterapia y consejería necesitan aprender terapia cognitiva y conductual. *SOS Ayuda a las Emociones* les da una introducción clara y fácil de entender.

La Mejor Manera de Usar Este Libro

Lea SOS y practique los ejercicios y recomendaciones. Al final de cada capítulo hay una sección titulada "Lo fundamental que hay que redordar". En esta sección están las ideas más importantes y las recomendaciones contenidas en el capítulo.

A lo largo de SOS, ocasionalmente le pido que complete algunos ejercicios para revisar su comprensión de los métodos de auto-ayuda que está leyendo.

El capítulo 12 tiene cuatro grupos de cuestionarios y ejercicios que corresponden a las cuatro partes de SOS. Luego de leer los capítulos 1, 2, y 3 (Primera Parte de SOS), diríjase al capítulo 12 y complete el primer grupo de cuestionarios y ejercicios. Obtendrá una verificación valiosa de su comprensión de estos tres capítulos y adquirirá experiencia en la aplicación de los métodos y principios de SOS en su vida.

Algunos carteles aparecen a lo largo de SOS. Estos carteles son particularmente importantes. Elija los que considera más importantes, cópielos y póngalos en lugares en los que pueda verlos varias veces al día!

UN EJEMPLO DE UN CARTEL

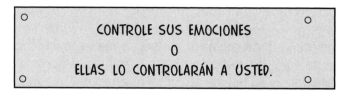

SOS Ayuda a las Emociones está basado en mi experiencia como docente universitario y en mi práctica profesional como psicólogo clínico, la experiencia de mis colegas, mis experiencias personales, y los resultados de muchas investigaciones sobre terapia.

Al entender y aplicar el programa de SOS usted aprenderá métodos de auto-ayuda muy útiles que le facilitarán su toma de conciencia para mejorar sus pensamientos y sentimientos y lograr con más éxito sus metas personales.

¡Comencemos con el Capítulo 1, *Como Sentirse Satisfecho y Lograr Sus Metas Personales*!

Lenguage técnico: el fundamento técnico de SOS está basado en la terapia racional emotiva y conductual y en la terapia cognitiva conductual. Se pueden encontrar referencias de más de 500 estudios sobre terapia racional emotiva y conductual en el sitio de internet: www.rebt.org

Primera Parte

CÓMO ENTENDER NUESTRAS EMOCIONES

www.sosprograms.com

Español SOS

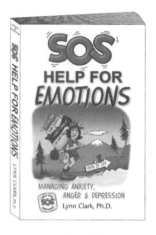

Inglés SOS

SOS Ayuda Para Padres

DVD Video SOS Ayuda Para Padres
www.sosprograms.com

Capítulo 1

Cómo Sentirse Satisfecho y Lograr Sus Metas Personales

EL ENCUENTRO CON UN TIGRE FEROZ

Nuestra respuesta de "afrontar o escapar" y las emociones como el miedo permitieron que nuestros antepasados prehistóricos sobrevivieran en un mundo peligroso. Posiblemente cuando se encontraron con un tigre feroz, ¡la respuesta más común fue la de escapar!

Mi Lucha Contra La Serpiente

Una noche, andando en cuclillas me metí debajo mi casa con una linterna para cambiar un cable de televisión de una habitación a la otra. Distraído con el laberinto de cañerías, cables, e insectos, me topé de pronto con una víbora! Al verle los ojos, me sentí paralizado por el pánico y me dije "una víbora"! Se me aceleró la respiración, y mi corazón comenzó a latir violentamente. Alcé mi linterna para golpear a la víbora mientras me decía, *"Si no le acierto a la víbora probablemente voy a romper la linterna y me quedaré en la oscuridad con la víbora."* Este pensamiento me hizo estremecer, busqué un caño y le di a la víbora.

Mi esposa y mi hijo que estaban en el piso de arriba escuchando la conmoción me preguntaron, "*¿Qué estás haciendo?*" Les respondí, "*Me estoy recuperando después de haber matado a una víbora,*" a lo que mi hijo respondió gritando,"*¡Ten cuidado, papá, donde hay una víbora puede haber otras!*" Otra serie de escalofríos me corrieron por el cuerpo y miré alrededor cautelosamente. Luego de decirme a mí mismo que no había más víboras alrededor terminé el cambio del cable de televisión.

Cuando regresé a la seguridad de mi hogar, pensé en mi sentimiento de miedo con la reacción de afrontar o escapar. Mi reacción emocional a la víbora fue esencialmente la misma reacción que nuestros antepasados tenían cuando enfrentaban situaciones peligrosas.

Cuando pensé en la víbora me sentí arrepentido de lo que había hecho, después de todo, la víbora no tenía ninguna culpa de que nos encontráramos. Acababa de tener una reacción de "afrontar o escapar". Lo más importante era que ya me sentía a salvo.

Nuestra Satisfacción y Nuestras Metas

Todos queremos ser felices y alcanzar nuestras metas. Sin embargo, la ansiedad, la depresión, y otras emociones desagradables causan estrés e interfieren en nuestro equilibrio, nuestra salud, nuestras relaciones, y en otras metas en nuestra vida. La ansiedad que sentí debajo de mi casa casi me impidió quedarme hasta terminar de cambiar el cable de televisión.

El propósito de este libro es ayudarlo a reducir y a manejar su ansiedad, depresión, e ira y a ayudarlo a aumentar su contento en la vida diaria. Como consecuencia, usted tendrá más éxito en el logro de sus metas, disfrutará más de la vida, experimentará mejores relaciones, y gozará de mejor salud.

Las emociones desagradables y descontroladas no sólo reducen el disfrute de la vida diaria, también nos impiden que logremos nuestras metas. Las emociones desenfrenadas también pueden dañar nuestra salud. La ira e impaciencia continuas pueden hacernos vulnerables a una variedad de problemas cardiovasculares. Por ejemplo, un ataque de cólera puede hacer que nuestra presión arterial suba rápidamente, causando tal ruptura en las arterias que pueda ocasionar un derrame cerebral. De muchas otras maneras las emociones desagradables intensas dañan nuestros cuerpos e influyen negativamente en nuestras vidas.

Cada persona responde de manera muy diferente al estrés. Hay algunas personas que cuando experimentan una situación apenas estresante se alteran más que otras que atraviesan situaciones severas. Pronto exploraremos por qué las personas difieren en sus respuestas emocionales al estrés.

Examinemos más de cerca la naturaleza de nuestras emociones. Consideraremos el contento, la ansiedad, la ira, y la depresión.

Las Cuatro Emociones Principales

Nuestras cuatro emociones fundamentales son el contento, la ansiedad, la ira, y la depresión.

Las Cuatro Emociones Fundamentales

¿Qué son las emociones? *Las emociones son sentimientos complejos con factores mentales, físicos, y de comportamiento.* Mentalmente, experimentamos nuestras emociones y sentimientos como agradables o desagradables. *Físicamente*, las sentimos como tensión o conciencia intensa. *En cuanto al comportamiento*, experimentamos nuestras emociones como un impulso a actuar.

Cuando me encontré con la víbora, mentalmente evalué el acontecimiento como desagradable y amenazador. Físicamente mi respiración y mis palpitaciones se aceleraron. En cuanto al comportamiento, sentí un fuerte impulso a actuar: afrontar o escapar.

Nuestras cuatro emociones básicas son el temor, la ira, la tristeza, el gozo o contento (Goleman, 1995). El miedo constante que se experimenta en situaciones diversas puede convertirse en ansiedad. La ira es un sentimiento intenso de desagrado y antagonismo. La tristeza persistente se convierte en depresión. *La satisfacción es una sensación de bienestar y sentimientos agradables sin mucha ansiedad, ira, o depresión.* El libro *SOS Ayuda con las Emociones* se concentra en las emociones de ansiedad (miedo intenso), ira, depresión (tristeza sostenida), y satisfacción. Vamos a considerar ahora el tema de la inteligencia emocional y cómo se relaciona con nuestras emociones.

La Inteligencia Emocional

Así como encontramos grandes diferencias de nivel en la inteligencia general, la gente también varía en su inteligencia emocional. *La inteligencia emocional es la habilidad de entender y manejar las emociones propias* (Goleman, 1995).*

---

* Vocabulario técnico: La inteligencia emocional está estrechamente relacionada con la sabiduría, la perspicacia, y el juicio crítico. La inteligencia social incluye la capacidad de comprender las emociones y conductas ajenas así como la habilidad de manejar las relaciones interpersonales.

Una inteligencia elevada y una buena educación no garantizan el control de las emociones o el éxito en la vida. Las emociones intensas y la baja tolerancia a la frustración, si no se manejan bien, pueden derrotarlo.

El éxito y el reconocimiento de sus compañeros eran las metas principales de Juan, un joven psicólogo. Juan era tan susceptible a la crítica que una vez en una convención defendió con tanta pasión su investigación que acabó dándole un puñetazo en la nariz a otro psicólogo que se oponía a sus ideas. Su actitud defensiva, su falta de autocontrol, y su criticismo tanto de sus colegas como del jefe del departamento le costó, con el tiempo, el puesto en el trabajo. Juan es un ejemplo de una persona que, a pesar de ser brillante y con estudios universitarios, su falta de conciencia emocional y su mal manejo de las emociones le impidieron lograr sus metas.

Un mal manejo de nuestras emociones puede crear problemas severos en nuestras relaciones. Cuando le gritamos encolerizados "te odio" a nuestro hijo u otro ser querido, perjudicamos nuestra relación con esa persona.

Su inteligencia emocional probablemente contribuye más al éxito y a una vida placentera que su inteligencia general. *Como la inteligencia emocional se aprende más que heredarse, eso significa que se puede aumentar.* En los capitulos siguientes, SOS le enseñará métodos específicos que le permitirán manejar mejor sus emociones. Consideremos ahora los componentes de la inteligencia emocional:

La inteligencia emocional abarca las cinco habilidades siguientes (Goleman, 1995). Estas abilidades incluyen:

- El conocer las emociones propias
- El controlar las emociones propias
- El reconocer las emociones en los demás
- El manejar las emociones con los demás
- El motivarnos para alcanzar nuestras metas

Examinemos brevemente cada una de las partes de la inteligencia emocional. La primera habilidad, *el conocer nuestras emociones*, la conciencia de uno mismo, la comprensión de nuestros sentimientos centrales, y la capacidad de darle nombre a nuestras emociones. Conocer nuestras emociones significa también hacernos conscientes de lo que nos decimos a nosotros mismos y de los pensamientos automáticos que acompañan nuestras emociones y humores.

La segunda habilidad, *el controlar nuestras emociones*, depende mucho del conocimiento que tengamos de nuestras emociones, de nuestros pensamientos automáticos, y de lo que nos decimos a nosotros mismos. *El aprender a controlar más efectivamente nuestras emociones es fundamental para el logro de una vida exitosa y es también el objetivo principal de SOS.* Muchas personas tratan de calmar sus emociones comiendo en exceso. Estos modos inadaptados de calmarnos tienden a aumentar nuestros problemas emocionales y los conflictos en nuestras relaciones.

El control efectivo de nuestras emociones incluye:

- El tranquilizarnos y calmarnos a nosotros mismos cuando estamos disgustados.
- El practicar autocontrol.
- El manejar nuestro enojo.
- El controlar nuestros impulsos.
- El expresar emociones en el tiempo apropiado.
- El evitar la ansiedad, el enojo, y la depresión sostenidas.
- El manejar las derrotas inevitables y los contra-tiempos de la vida.
- El impedir que las emociones negativas dominen nuestros juicios y la solución de nuestros problemas.

Otros dos ingredientes para controlar efectivamente nuestras emociones que son especialmente importantes en SOS son:

- El tolerar la frustración.

- El aceptarnos y valorarnos a nosotros mismos.

Cinco Pasos Hacia la Inteligencia Emocional y Tres Emociones Enfermizas que Hay Que Controlar

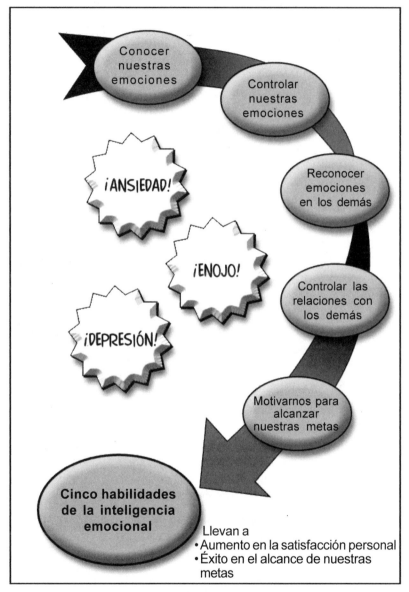

Mejore su inteligencia emocional y evite dejarse atrapar por las emociones enfermizas de la ansiedad, el enojo, y la depresión.

El reconocer emociones en los demás es la habilidad de leer y comprender los sentimientos e intenciones de los otros. Stephen Covey, en su libro *Los Siete Hábitos de la Gente Altamente Efectiva* nos aconseja: "Busque primero comprender antes de ser comprendido." Dale Carnegie, en su libro *Como Ganar Amigos y Tener Influencia Sobre los Demás*, recomienda: "Sea una persona que sabe escuchar; aliente a los otros a que hablen de sí mismos." El saber reconocer las emociones de los demás depende en una escucha atenta y el alentar a los otros para que hablen de sí mismos y expresen sus emociones. Empatía y compasión son extensiones de la habilidad de reconocer las emociones de los demás.

El controlar las relaciones con los demás es la cuarta parte de la inteligencia emocional. Las personas que se destacan en estas habilidades manejan las relaciones con los demás con calma, se conectan con los otros, son firmes de manera apropiada, pueden negociar soluciones a los conflictos y problemas mutuos, y pueden manejar a la gente difícil. La habilidad de controlar las relaciones depende altamente de nuestra capacidad de conocer nuestras emociones y reconocerlas en los demás.

El motivarnos para lograr nuestras metas es el paso final de la inteligencia emocional. Esta habilidad de inteligencia emocional supone planificación, persistencia, posponer la gratificación, tolerar la frustración, resistir la conducta impulsiva, recuperarse de las derrotas y los contratiempos de la vida, y hallar satisfacción en las actividades actuales. El motivarnos para lograr nuestras metas, desde luego, depende del conocimiento y del control de nuestras emociones.

Cinco Habilidades de la Inteligencia Emocional

- Conocer nuestras emociones
- Controlar nuestras emociones
- Reconocer las emociones de los demás
- Controlar las relaciones con los otros
- Motivarnos para lograr nuestros objetivos

El éxito en el trabajo en una economía competitiva y exigente está cada vez más relacionado con las cinco habilidades que componen la inteligencia emocional. El iniciar y mantener con éxito relaciones íntimas así como el evitar relaciones nocivas depende mucho de nuestra inteligencia emocional.

La inteligencia emocional de Tomás Edison

Tomás Edison con el tiempo inventó la bombilla eléctrica luego de muchos años de esfuerzos y luego de fallar 1,000 veces. ¿Cuáles dos, de las cinco habilidades de la inteligencia emocional que se enumeran a continuación, cree usted que Edison demostró prominentemente?

1. Conocer nuestras emociones
2. Controlar nuestras emociones
3. Reconocer las emociones de los demás
4. Controlar las relaciones con los otros
5. Motivarnos para lograr nuestras metas

La respuesta a esta pregunta está la final de la página siguiente.

COMO LA INTELIGENCIA EMOCIONAL SE APRENDE MÁS QUE HEREDARSE, SE PUEDE AUMENTAR.

El origen de nuestras emociones

¿Qué es lo que causa nuestras emociones? De dónde vienen? Fueron estas emociones potentes las que les permitieron a nuestros antepasados prehistóricos sobrevivir en un mundo donde la consigna era "comer o que te coman." Esas mismas emociones y los centros del cerebro que las rigen se han transmitido genéticamente durante generaciones y generaciones. Todavía las experimentamos aunque no haya tigres feroces en nuestras vidas cotidianas.

Altos niveles de tensión, vigilancia, ansiedad, y agresión como así también la respuesta instantánea de "afrontar o escapar" ayudaron a nuestros antepasados a sobrevivir la amenaza de los tigres feroces y otros peligros. Pero en nuestro mundo moderno sin esas luchas cotidianas de vida o muerte, estos sentimientos potentes pueden causarnos problemas en nuestra adaptación al mundo y en las relaciones con los otros.

Centros primitivos específicos en nuestro cerebro influyen notablemente nuestras emociones. Sin embargo, nuestro uso del lenguaje y de centros del cerebro más evolucionados tienen gran influencia y pueden anular los centros primitivos. Las influencias principales en nuestra conducta y emociones son nuestros pensamientos, nuestra evaluación de los acontecimientos, y lo que nos decimos a nosotros mismos.

Su estructura genética influye su tendencia a ser una persona calma o fácil de excitar, pero sólo hasta cierto punto. Las experiencias de la infancia y el apoyo afectivo de las personas cercanas influyen su tranquilidad emocional. Varias condiciones físicas (falta de descanso, enfermedad, pobre nutrición) pueden predisponerlo a que se disguste fácilmente. No obstante, para la mayoría de nosotros estos factores no

---

La inteligencia emocional de Tomás Edison. En mi opinión, Edison manifestó más convincentemente las habilidades de la inteligencia emocional # 5 motivarnos para lograr nuestras metas, y la # 2, controlar nuestras emociones. Necesitó controlar sus sentimientos de frustración para poder lograr sus metas. La mayoría de la gente se hubiera dado por vencida.

determinan significativamente nuestros niveles de satisfacción, o el sentirnos libres de ansiedad, enojo o depresión.

Nuestras emociones están en gran parte, aunque no totalmente, controladas por nuestras creencias, el modo como entendemos nuestros problemas, y nuestras conversaciones interiores. Si alguna condición física o enfermedad lo predisponen para que experimente emociones desagradables, busque ayuda médica para esas condiciones que pueden modificarse. Además, es conveniente que aprenda y practique los métodos que se presentan en SOS. *Nuestros patrones irracionales de pensamiento se parecen a los malos hábitos: son al mismo tiempo autodestructivos y difíciles de modificar.*

> USTED NO PODRÁ TENER CONTROL SOBRE SU VIDA
> A MENOS QUE
> TENGA CONTROL SOBRE SUS EMOCIONES.

¿Es Posible que las Emociones Le Dañen la Salud?

¡Sí! Los doctores, psiquiatras, y psicólogos están de acuerdo cuando dicen que los acontecimientos estresantes, el estrés emocional, y nuestra propia evaluación de los eventos desagradables afectan profundamente nuestra salud (Gatchel y Blanchard, 1993; Asociación Americana de Psiquiatría, 1994). Los factores psicológicos pueden iniciar o intensificar el daño físico de nuestros cuerpos.* Este daño puede ser transitorio o permanente. No obstante, existen muchos informes de gente que se recuperó de enfermedades severas alterando su actitud mental y su estado de ánimo.

---

* En *La Inteligencia Emocional* (1995, pp. 324-328), Goleman enumera una serie de estudios sobre la mente y la medicina. La ansiedad, el enojo, y la depresión pueden ocasionar una variedad de trastornos físicos.

Lo que es estresante para una persona puede que no lo sea para otra. Como veremos en el próximo capítulo, nuestra interpretación y evaluación de los acontecimientos desagradables van a determinar fundamentalmente en qué medida esos acontecimientos tendrán un efecto emocionalmente perturbador.

¿Cómo puede ser que el estrés emocional dañe nuestros cuerpos? El estrés emocional puede aumentar la tensión muscular y haciendo que rechinemos los dientes o tengamos otro tipo de dolores musculares. Las contracciones de las venas en el cerebro pueden causar migrañas.

El enojo y el temor hacen que ciertas sustancias se desprendan en nuestra sangre aumentando el riesgo de formación de coágulos. El recibir malas noticias puede subir la presión arterial a niveles peligrosos. El aumento de presión arterial y los coágulos de sangre le ayudaron a nuestros antepasados prehistóricos a enfrentarse a los tigres feroces. Sin embargo, en nuestra vida moderna sedentaria, el aumento de la presión arterial y la formación rápida de coágulos puede poner en peligro nuestra salud. Los mismos procesos físicos que ayudaron a nuestros antepasados a vivir pueden matarnos.

La agitación emocional puede inhibir nuestro sistema inmunológico, haciendo que suframos de infecciones virales y bacterianas. El estrés puede causar cambios en las paredes de la nariz, garganta, senos nasales, y pulmones ocasionando infecciones crónicas. Varios tipos de erupciones de la piel y caída de pelo tienen orígenes psicológicos.

La aflicción emocional puede estimular el estómago para que secrete demasiado ácido lo cual puede ocasionar acidez estomacal y gastritis. Nauseas, vómitos, diarrea, y estreñimiento pueden ser ocasionados por problemas emocionales. Casi todo el mundo sabe que la bulimia y anorexia tienen causas psicológicas.

USTED NO PODRÁ TENER CONTROL SOBRE SU VIDA A MENOS QUE TENGA CONTROL SOBRE SUS EMOCIONES.

Un mal manejo de la ansiedad, el enojo, y la depresión contribuyen al aumento de problemas y trastornos emocionales

Problemas y trastornos relacionados con la ansiedad:

* Trastorno de ansiedad generalizada
* Trastornos y ataques de pánico
* Agorafobia
* Fobia social
* Fobias específicas
* Trastorno de ansiedad social
* Trastorno obsesivo-compulsivo
* Obsesiones, compulsiones
* Hipocondría
* Trastorno de ajuste con ansiedad

Trastornos y problemas relacionados con la ira:

* Ira consigo mismo, con los otros, con el mundo
* Mal genio, brusquedad, perder los estribos en reacciones de furia
* Actitudes defensivas o quisquillosas
* Trastorno de conducta
* Trastorno desafiante antagonista
* Trastorno explosivo intermitente

Depresión relacionada con los siguientes trastornos y problemas:

* Depresión clínica
* Trastorno distímico
* Trastorno depresivo mayor
* Trastorno bipolar (también llamado maníaco-depresivo)
* Trastorno ciclotímico
* Trastorno de ajuste con depresión
* Baja auto-estima, poca aceptación de sí mismo

Los problemas existenciales con frecuencia son el resultado de una mezcla de altos niveles de ansiedad, ira, depresión, y otros factores diversos. Algunos de los problemas más comunes son: los conflictos en las relaciones interpersonales (en el trabajo, la familia, la crianza de los hijos), los trastornos del comer, el abuso de sustancias, los trastornos del dormir, dejar las cosas para más tarde, la baja tolerancia a la frustración, el evadir responsabilidades personales y en la vida de familia.

Poca comprensión y mal manejo de nuestras emociones pueden debilitar nuestra satisfacción, nuestras relaciones interpersonales, y nuestras metas como así también debilitar nuestra salud. ¡Use SOS para que lo ayude a manejar mejor sus emociones y su vida!

Lo Fundamental que Hay Que Recordar:

- La ansiedad, la ira, la depresión y otras emociones desagradables causan aflicciones físicas y mentales y pueden interferir en su capacidad de sentirse satisfecho, en su salud, en sus relaciones interpersonales, y en el logro de sus metas personales.*

- Para el logro de una vida exitosa y placentera, la inteligencia emocional (nuestra capacidad de comprender y manejar nuestras emociones) es más importante que nuestra inteligencia general.

- Como la inteligencia emocional se aprende antes que heredarse, se puede mejorar.

- El éxito en el trabajo en una economía competitiva y exigente, está cada vez más relacionado con las cuatro habilidades que constituyen la inteligencia emocional.

- Nuestro pensamiento, nuestra evaluación personal de los acontecimientos, y nuestra conversación interior fundamentalmente controlan nuestras emociones y conductas.

- El objetivo de SOS es ayudarlo a que maneje su ansiedad, ira, depresión, y otras emociones para que usted se sienta satisfecho y logre sus propias metas.

> ESCUCHE LO QUE LE DICEN LOS DEMÁS.
> ESCUCHE LO QUE SE DICE A SÍ MISMO.

---

* *El manual Merck de información médica: Segunda edición doméstica.* Sitio de internet: www.merck.com/pubs/mmanual es mi libro y sitio de internet preferidos para buscar información sobre problemas de salud y sus tratamientos. Este sitio de internet es un recurso valioso y gratis, aunque un poco técnico. Para información sobre una variedad de medicamentos vaya al sitio www.drugdigest.org.

Capítulo 2
ABC Origen de Nuestras Emociones y de Nuestras Conductas

EL ABC DE NUESTRAS EMOCIONES

YO NO APRENDÍ MI ABC GRACIAS

Necesitamos aprender y practicar el *ABC de Nuestras Emociones.*

La "A" se refiere a los acontecimientos activadores o situaciones desagradables que uno encuentra. La "B" se relaciona con *nuestras creencias y lo que nos decimos a nosotros mismos* o lo que silenciosamente comentamos sobre los acontecimientos activadores. La "C" alude a las consecuencias tanto emocionales como de conductas. Estas consecuencias incluyen tanto la ansiedad, la ira, la depresión, y otros sentimientos desagradables, como así también nuestras conductas.

Nuestras emociones y conductas son fundamentalmente el resultado de nuestras creencias y de aquello que nos decimos a nosotros mismos, más que una consecuencia de los acontecimientos y situaciones desagradables de la vida.

SOS nos enseña a mejorar nuestras emociones y conductas. Lo hace utilizando métodos de auto-ayuda de la

El autor expresa su agradecimiento a Dr. Albert Ellis por examinar y criticar el borrador de este capítulo.

terapia racional emotiva conductual. Este enfoque innovador en el modo de ayudar a la gente fue presentado por primera vez por el Dr. Albert Ellis y otros terapeutas con el objetivo de ayudar a los pacientes a sobrellevar la ansiedad, la ira, la depresión y otras emociones y conductas problemáticas.

El comprender y practicar los métodos de auto-ayuda de la terapia racional emotiva conductual (TREC) mejorará su inteligencia emocional, permitiéndole vivir de manera más satisfactoria y alegre.*

En el capítulo anterior aprendimos que la inteligencia emocional abarcaba el:

- Conocer nuestras emociones
- Manejar nuestras emociones
- Reconocer las emociones de los demás
- Manejar las relaciones con los demás
- Motivarnos para alcanzar nuestras metas

Para tener una vida efectiva y feliz, *la inteligencia emocional importa más que la inteligencia general.*

T	R	E	C
Terapia	Racional	Emotiva	Conductual
(ayudar)	(pensar)	(sentir)	(actuar)

TREC es ayudar a pensar, sentir y actuar.

¿Qué es la terapia racional emotiva conductural? Esta terapia se centra en mejorar tres ámbitos en nuestras vidas: el racional, el emotivo y el conductual. Racional se refiere al pensar, razonar, y a la cognición. Emotivo significa emociones, humor y sentimientos. Conductual es el ámbito del comportamiento y de la acción. La gente transcurre la vida pensando, sintiendo y actuando. Por lo general la mayoría lo hace de manera satisfactoria y feliz. Lamentablemente, hay muchos que pasan buena parte de su tiempo pensando de manera torcida (irracionalmente), y como resultado, se sienten

---

* Nota de la traductora: la sigla TREC (Terapia Raciona Emotiva Conductual) es equivalente a la sigla REBT en inglés (Rational Emotive Behavioral Therapy).

con el ánimo por el suelo, y se comportan de manera contraproducente. Un objetivo apetecible es el pasar la mayor parte de nuestros días, meses y años sintiéndonos contentos y satisfechos.

"TU TIENES EL PODER SOBRE TU MENTE, NO LOS EVENTOS EXTERNOS, ENTIENDE ESTO Y TENDRÁS FUERZA."

EL PENSADOR*

La terapia racional emotiva conductual o racional emotiva, como se la nombra de manera abreviada, fue iniciada por el Dr. Albert Ellis en la década de 1950. Los investigadores y terapeutas actuales continuan perfeccionando la TREC y extendiendo sus aplicaciones para ayudar a la gente. Al Dr. Ellis se lo considera el creador de la terapia cognitiva conductural, un tipo de terapia basada en la investigación científica y reconocida internacionalmente (Corey 2000) **

---

* "Tu tienes el poder sobre tu mente..." es una frase de Marco Aurelio, el filósofo romano (alrededor de 180 DC). El escultor Augusto Rodin de Francia creó una escultura que se conoce con el nombre de "El Pensador de Rodin."

** Vocabulario técnico: La Terapia Cognitiva Conductual (TCC) incluye la Terapia Racional Emotiva Conductual (TREC del Dr. Ellis), la Terapia Cognitiva (del Dr. Beck) y la Modificación Cognitiva y Conductual (del Dr. Meichenbaum). Para más información sobre la TREC diríjase al capítulo 13: *Información para Consejeros.*

No se preocupe por el nombre largo de la terapia racional emotiva conductual. La TREC es una terapia práctica, sencilla, fácil de comprender, y eficaz para ayudar a la gente a que maneje sus emociones. Permite que uno tome la responsabilidad de sus emociones y deje de echarle la culpa a los demás, al mundo, y a las desgracias de la vida por la ira y la depresión constantes. Es por esto que a la TREC a veces se la llama la terapia sin evasiones ni excusas. Yo considero que la terapia racional emotiva conductual es la terapia de auto-ayuda más valiosa que los psicólogos y psiquiatras pueden ofrecer en el tratamiento de las emociones.

En SOS usted podrá aprender métodos y conocimientos provechosos para mejorar su modo de pensar y sentir, y para tener más éxito en el logro de sus metas. Comencemos aprendiendo el *ABC de Nuestras Emociones*.

Nuestras creencias y opiniones sobre el mundo determinan nuestras emociones, nuestros sentimientos y nuestras conductas. Epicteto, el filósofo griego que vivió hace 2.000 (alrededor del 55-135 DC) decía: *"No son las cosas las que atormentan a los seres humanos, sino la opinión que se tiene de ellas."* (E•pic•te•to)

ABC de Nuestro
Pensar, Sentir y Actuar

Nuestro disgusto emocional es causado en gran parte, pero no exclusivamente, por nuestras creencias y aquello que mentalmente nos decimos a nosotros mismos sobre los acontecimientos y situaciones y no tanto por los eventos y situaciones mismos. El ABC de la terapia racional emotiva conductual ilustra la primera causa de nuestras emociones.

La "A" se refiere a los acontecimientos activadores, acontecimientos reales, o supuestas causas de nuestro estrés. La "A" incluye situaciones tales como el dejar las llaves dentro de nuestro auto y encerrarnos fuera, el recibir una nota baja en un examen, el que nos dejaran plantados en una cita, el que no nos dieran el ascenso, y la experiencia de muchos otros descontentos y golpes de la vida. Cuando trate de describir un evento activador del pasado hágalo como si una cámara de video lo hubiera grabado y ahora lo está reproduciendo.

¿Qué son los Eventos Activadores?

- Los eventos activadores despiertan y estimulan nuestros pensamientos, creencias, y lo que mentalmente nos decimos a nosotros mismos. Son las adversidades, frustraciones, y el estrés de nuestra vida.

- Los eventos activadores pueden pertenecer al pasado, al presente, o al futuro (de manera anticipada).

- Los eventos activadores pueden ser reales o imaginarios.

- Un evento activador puede ser uno solo aislado o un suceso constante de eventos desagradables y decepcionantes.

- Un evento activador puede ser algo negativo que ocurrió o algo positivo que no ocurrió (una desilusión)

Además de los aconticimientos actuales, la A puede incluir también pensamientos del pasado como por ejemplo el recuerdo de haber sido rechazado por alguien que uno amaba o el acordarse de una experiencia humillante en la adolescencia. Además de recuerdos de situaciones, la A puede referirse a nuestros pensamientos sobre el futuro, la anticipación de acontecimientos o situaciones tales como el planear pedirle un aumento a nuestro jefe o el esperar en el consultorio del médico para que nos pongan una inyección de antibióticos. *Los acontecimientos activadores son situaciones que uno recuerda o que está experimentando en el momento presente, o eventos futuros que a uno lo preocupan.*

¿Por qué a la "A" se le da el nombre de acontecimientos activadores? La "A" lleva el nombre de acontecimientos activadores porque activan, estimulan y despiertan nuestro sistema racional y nuestras creencias irracionales, el hablarnos mentalmente y nuestros diálogos interiores.

La gente continuamente entabla conversaciones interiores, se habla mentalmente, o se dice oraciones automáticas. Lo que uno se dice a sí mismo sucede de manera casi automática, con un bajo nivel de conciencia.

La "B" son nuestras creencias* irracionales y aquello que nos decimos a nosotros mismos sobre los acontecimientos activadores y las situaciones. Existen dos tipos principales de creencias y conversaciones mentales. El primer tipo *son las creencias racionales y aquello que nos decimos a nosotros mismos para auto-ayudarnos a sobrellevar las situaciones. Son oraciones mentales que facilitan la adaptación y conducen a la salud emocional.* El segundo tipo, *las creencias irracionales, son auto-destructivas, contraproducentes, inadaptadas que conducen al desequilibrio emocional.* **

---

* Nota de la traductora: en inglés "creencias" se dice "beliefs" de ahí el uso de la letra B con la que comienza la palabra "beliefs".

** Las creencias, las conversaciones mentales y los pensamientos automáticos que son irracionales y contraproducentes se llaman también "distorsiones cognitivas" (Beck, 1995; Burns, 1999). Yo prefiero los términos "creencias irracionales y conversaciones mentales" que se usan en la terapia racional emotiva conductual (Ellis, 1994)

Las creencias irracionales llevan a la ansiedad, a la ira, la depresión, y a sentirse que uno no está en control de las propias emociones. Las creencias racionales llevan a emociones menos perturbadoras tales como la preocupación, el desagrado, el fastidio o la tristeza. Además, las creencias racionales nos ayudan a sobrellevar las contrariedades más eficazmente, a lograr lo que queremos en la vida, a conseguir más contento. El lenguage de las creencias racionales tiene un tono fresco o cálido, no ardiente o volátil.

> **Las creencias y conversaciones mentales incluyen** tanto las creencias racionales e irracionales como así también lo que uno se dice a sí mismo.

Veamos algunos ejemplos de creencias irracionales y conversaciones mentales. Luego de una experiencia frustrante puede que uno se diga a sí mismo: "¡Eso no debería haber sucedido; fue algo espantoso y no lo puedo soportar!" O tal vez diga: "No tiene derecho a tratarme de manera tan injusta, esto me hace sentir despreciada, como si fuera una basura". Las creencias irracionales intensifican nuestro disgusto y llevan a un aumento de la ansiedad, la ira y la depresión, como así también a conductas inadaptadas. Nuestra creencias irracionales socavan nuestra energía mental y nos impiden encontrar soluciones creativas a nuestros problemas.

Cuáles son los ejemplos de creencias racionales y conversaciones mentales? Uno puede decir: *"Ojalá que esta situación no hubiera sucedido, pero como ya pasó, la puedo soportar"*. O bien este segundo ejemplo: *"Me está tratando injustamente y eso me disgusta, sin embargo, este maltrato no me convierte en alguien despreciable, sin valor como persona"*.

> ○ SI HAY ALGO DE LO QUE LOS PSICÓLOGOS PUEDEN ○ ESTAR SEGUROS ES QUE SUS PACIENTES VAN A HABLARSE A SÍ MISMOS Y A MENUDO, YA SEA ALGO TRASCENDENTE O INTRASCENDENTE, LO QUE LA GENTE
> ○   SE DICE A SÍ MISMA DETERMINA LO QUE HACE.*   ○

* I. E. Farber

Somos responsables por el lenguage que usamos cuando nos hablamos a nosotros mismos. Nuestras conversaciones mentales pueden ayudarnos a ver nuestros problemas con claridad o pueden confundirnos, dilatar la solución de problemas e intensificar las emociones desagradables y malsanas.

Por lo general lo que las personas satisfechas y exitosas se dicen a sí mismas contiene muchas creencias racionales aunque atraviesen por situaciones desagradables y estresantes. Como se dijo anteriormente, las creencias racionales contienen un lenguaje fresco y cálido en lugar de un lenguaje ardiente y cargado emocionalmente.

Pensamiento torcido
Una perspectiva de "sentido común"
sobre las emociones

(El creer erróneamente en que A causa C)
También se lo denomina el A-C de nuestras emociones

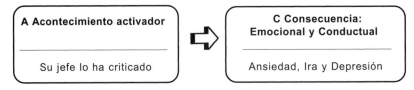

Pensamiento recto
Una perspectiva exacta de nuestras emociones

(El creer correctamente en que A activa B pero es B que causa C)
También se lo denomina el A-B-C de nuestras emociones

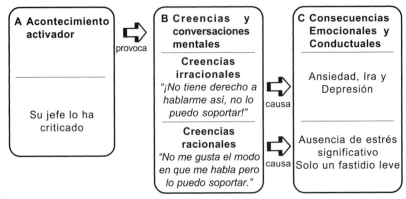

Hemos considerado la "A" y la "B". Veamos ahora la "C". La "C" (consecuencias) se refiere a las emociones y las conductas que resultan de nuestras creencias y de lo que nos decimos a nosotros mismos.

Las consecuencias emocionales incluyen la ansiedad, la ira y la depresión, así como otras emociones desagradables. Las consecuencias emocionales también incluyen emociones positivas tales como la felicidad y la satisfacción.

Las consecuencias conductuales pueden ser positivas y de auto-ayuda o negativas, auto-destructivas, auto-derrotista e inadaptada. Estallar de rabia o vengarse del supervisor o del compañero de trabajo luego de haberse sentido frustrado puede ser una consecuencia auto-destructiva de la frustración.

¿Qué es lo que a usted lo caracteriza, el pensamiento torcido o el recto? *El pensamiento recto implica el reconocimiento de que, si bien los acontecimientos y situaciones nos influyen, nuestras creencias racionales e irracionales y lo que nos decimos a nosotros mismos nos influyen mucho más.* El pensar rectamente es reconocer que nuestras Bs (creencias y conversaciones mentales) son las causas principales de nuestras Cs (consecuencias emocionales y conductuales). El pensamiento recto es un modo de pensar A-B-C.

Pensamiento Recto versus Pensamiento Torcido

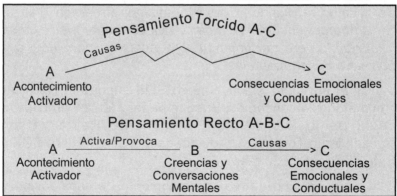

Fíjese que las Bs (creencias y conversaciones mentales) están ausentes en el pensamiento torcido A-C.

¡Sea un pensador recto en vez de ser un pensador torcido! ¡Los pensadores rectos se divierten más y sufren menos el estrés!

El pensamiento torcido, también llamado Pensamiento A-C, consiste en creer que tenemos poca o ninguna capacidad de influir nuestros sentimientos y que tanto los acontecimientos como las situaciones causan directamente nuestras emociones o conducta. Mucha gente infeliz, inundados por sus emociones de ansiedad, ira y depresión, alegan desesperadamente que los acontecimientos desagradables causan sus sentimientos y se declaran inpotentes para tranquilizar sus sentimientos y mejorar los acontecimientos de su vida. Este tipo de personas han perdido el contacto con sus creencias irracionales y conversaciones mentales ya que estas creencias y conversaciones se han vuelto veloces, automáticas y habituales. Como dijo uno de los filósofos griegos de la antigüedad: "*No son las cosas las que atormentan a los seres humanos, sino la opinión que se tiene de ellas.*" Además de sentirse desconsolada, la gente que piensa torcidamente tiene menos capacidad el lograr sus metas tanto las de corto como las de largo plazo.

La gente nace con el potencial para pensar tanto de manera torcida como recta y comportarse de modo contraproducente o productivo (Ellis, 1994). Hay quienes viven constantemente en un desconsuelo que se han impuesto a sí mismos, repitiendo sin cesar los mismos errores cotidianos. *Sin embargo, pueden aprender a vivir de maner más exitosa y feliz si primero rectifican sus creencias irracionales y sus conversaciones mentales.*

El aprender efectivamente SOS supone el practicar sus métodos y conceptos. Busque papel y lápiz y practique la copia de la ilustración "Pensamiento Recto versus Pensamiento Torcido". Luego ponga a un lado el libro SOS y trate de repetirlo de memoria.

El vivir con un mayor sentimiento de satisfacción y eficacia requiere el conocimiento del pensamiento recto que se enseña en la TREC y el auto-análisis de sus ABCs. Es también necesario el practicar y aplicar el método de ABC. Tome una mayor responsabilidad en el crear y manejar sus sentimientos de ansiedad, ira y depresión, y otros sentimientos desagradables. Ocupe menos tiempo culpando a los demás por eventos fuera de su control.

Tres Mayores Deberes – Creencias Irracionales Perjudiciales

Mientras transitamos por la vida tenemos miles de pensamientos diarios. Algunos de estos pensamientos nos causan dificultades emocionales. ¿Cuáles son los que

> **Tres Deberes Principales:**
> **Conversaciones Mentales Irracionales**
>
> 1. ¡Yo debo...!
> 2. ¡Tú (él o ella) debes (debe)!
> 3. ¡El mundo y las condiciones en las que vivo deben!

tenemos que cambiar? El Dr. Ellis, fundador de la terapia racional emotiva conductual ha identificado las creencias irracionales centrales que causan dificultades emocionales. Consideremos las creencias irracionales y las conversaciones mentales más comunes que causa tanto abatimiento.

En gran medida nosotros mismos causamos e intensificamos nuestra ansiedad, nuestra ira y nuestra depresión al creer in ciertas creencias irracionales específicas y decirnos mentalmente determinadas afirmaciones. Estas afirmaciones mentales exigen que las cosas sean diferentes. Estas exigencias nos las imponemos a nosotros mismos, se las imponemos a los demás, o al mundo o a las condiciones en que vivimos.

Estas creencias irracionales exigen que "*Yo, los otros o el mundo sean diferentes y si no los son, todo se torna*

)
EL MEJOR EN LAS VENTAS

Guillermo, un vendedor de autos de treinta y dos años creía: "Siempre debo ser el mejor en la concesionaria de autos, y si no soy el primero, como debe ser, no lo puedo soportar. Si no soy el mejor eso significa que soy un vendedor de segunda o tercera categoría y por lo tanto no valgo nada. No me puedo soportar, no merezco el respeto de los demás, ni me respetaría a mí mismo!" Guillermo funcionaba bajo tanta presión que cuando llegaba a su trabajo se lo veía aprensivo, nervioso y se enojaba con facilidad. Cuando se iba del trabajo continuaba sintiéndose de la misma manera. En casa estaba malhumorado, se enojaba fácilmente, y se retraía de su esposa y sus hijos. La exigencia de Guillermo de ser el mejor vendedor de autos estaba dirigida a sí mismo porque creía en el primer deber principal: "*¡Yo DEBO...!*"

Si en lugar de exigirse a sí mismo Guillermo le exigiera a su jefe que le diera una oficina mejor o que hiciera mejor propaganda, entonces él estaría aferrado al segundo deber principal: "*¡Tú DEBES...!*" Este segundo deber por lo general causa ira hacia la otra persona.

Si las conversaciones mentales de Guillermos exigieran rígidamente que la venta de autos fuera más fácil, menos competitiva, y más gratificante económicamente, entonces él se estaría aferrando al tercer deber principal: "*¡El mundo y las condiciones de la vida DEBEN...!*"

espantoso, no lo puedo soportar, y así me siento más ansioso, furioso y deprimido". Poca gente tiene total conciencia de las creencias irracionales porque éstas son en parte inconscientes.

Cuando se usan los "debiera", como en el caso de los tres deberes principales, estos "debiera" se llaman "debieras absolutos" y por lo tanto son perjudiciales para nuestras emociones.* Por ejemplo, si usted se enoja con un compañero

---

* Lenguaje técnico sobre los tipos de deberes y debieras: *los debieras, tienen que, no debieran, no tienen que* son todas afirmaciones perjudiciales. Cuando usted usa estas expresiones de manera absoluta está exigiendo que usted, los demás y el mundo sean diferentes. Hay cinco tipos de deberes que no se usan de manera absoluta y son inofensivos. Son aquellos que expresan una preferencia, un recomendación, ideales, hechos, y condiciones tentativas.

de trabajo y se dice a sí mismo: "¡Tiene que tratarme con mucho respeto y si no lo hace, debieran condenarlo!" Las palabras "debería" y "tiene que", cuando se usan como exigencias absolutas tienen los mismos efectos perjudiciales de los deberes y los debieras absolutos.

Las personas tienen una tendencia inherente a intensificar sus deseos y preferencias en deberes, debieras absolutos, y exigencias impuestos sobre sí mismas, sobre los demás y sobre el mundo. Estas personas tienden a sentirse

---

Tres Debieras Absolutos:
Conversaciones Mentales Irracionales

1. **¡Yo debiera absolutamente...!**

2. **¡Tu (él o ella) debieras (debieran) absolutamente...!!**

3. **¡El mundo y las condiciones de la vida debieran absolutamente...!!**

---

abatidas cuando los otros o el mundo no responden a sus exigencias rígidas. Es una creencia irracional el esperar que el mundo cambie para amoldarse a nuestras exigencias. Modifique lo que se dice a sí mismo y evite imponerse deberes y debieras.

Lorena, una estudiante inteligente lograba casi todas "As" en sus clases de la universidad. En un examen en particular obtuvo una "B". Al día siguiente nos encontramos casualmente en el pasillo, sus ojos relampagueaban, se me acercó con furia y estalló en lágrimas, luego se fue sin decir nada. Aunque Lorena no haya hablado, comunicó con claridad el sobresalto de sus sentimientos. Más tarde me dijo que se había estado diciendo mentalmente: "*Usted ha sido injusto y no debiera haberme dado una B*". Lorena se aferró al segundo deber principal.

---

o   NO SE IMPONGA A SÍ MISMO   o
DEMASIADOS DEBIERAS.
o   o

En el examen siguiente Lorena se esforzó más y se ganó una A. Ambos nos sentimos aliviados de que hubiera logrado una A.

Sólo son saludables el preferir y desear que los demás sean diferentes mientras trabajamos en mejorar y cambiar. Cuando nos rehusamos a vivir y aceptar el mundo como es, e imponemos exigencias absolutas, o demandas rígidas tanto sobre nosotros mismos como sobre los demás, sufrimos de problemas emocionales.

Los Tres Deberes Principales:
El Acarrear Exceso de Equipaje Emocional

"Yo sí que tengo muchos problemas. La mayor parte del tiempo me siento ansiosa y tensa, enojada y !!#%@, y muy deprimida. Mi consejera dice que yo misma me estoy alterando a través de lo que me digo mentalmente. Pero yo no quiero creerlo..."

El creer en los *Tres Deberes Principales* y usarlos cuando uno se habla a sí mismo es una de las causas principales de la angustia emocional. Estos tres deberes básicos son: "*Yo DEBO..., Tú DEBES... y el mundo y las condiciones de la vida DEBEN.*" Practique el renunciar a sus creencias irracionales. El transitar por la vida es difícil aun sin mucho exceso de equipaje emocional.

Para practicar deje a un lado el libro SOS, busque lápiz y papel, y haga una lista de los "Tres Deberes y Debieras" de memoria.

El echarle la culpa o exigir estrictamente de los demás, del mundo y de uno mismo es el centro de la mayoría de los

Cinco Conexiones Calientes:
El Conectar Nuestros Deberes Principales con
Nuestras Emociones

1. **Condena y Maldición***
   El desear un castigo y la ruina para uno o para los demás lleva a la ira dirigida a uno mismo o a los otros. Ejemplos son: "¡Tú !!#%@ canalla!" y "Tú desgraciado!"

2. **No-lo-puedo-soportar-ismo**
   No puedo soportar ninguna incomodidad, ansiedad, ira o depresión. No puedo sobrevivir ni ser feliz si tengo que soportar estos sentimientos. Me niego absolutamente a aceptar sentirme incómodo. Este hablarnos a nosotros mismos irracionalmente causa BTF: Baja Tolerancia a la Frustración.

3. **Catastrofismo**
   Esta situación es 100% espantosa, es HTP: Horrible, Terrible, Espantosa. Encontrar todo horripilante, terrible, catastrófico y espantoso son actitudes similares y exageradas.

4. **No Valgo Nada**
   No sirvo para nada. Baja aceptación de uno mismo (BAUM), baja auto-estima, y depresión son el resultado de los pensamientos y conversaciones mentales irracionales. "¡No sirvo para nada, PR (persona repugnante)!" es otro ejemplo.

5. **Siempre o Nunca**
   El, ella, o la situación siempre van a ser así y nunca van a cambiar.

---

* Lenguaje técnico: Las cinco conexiones calientes se llaman "conclusiones irracionales" o "derivados de los deberes principales" en la terapia racional emotiva conductual del Dr. Ellis (Ellis, 1994)

problemas emocionales. Además gastamos demasiado tiempo esperando que el mundo responda a nuestras exigencias. Tenemos que tratar con el mundo tal como es, no como deseamos que sea.

Cinco Conexiones Calientes – Pensamientos Irracionales Principales que son Perjudiciales

Consideremos ahora las cinco conexiones calientes y el rol que juegan en el moldear nuestras emociones. Cuando la gente no puede lograr sus deberes, debieras y exigencias tiende a crear conexiones calientes. Las cinco conexiones calientes son también tipos de creencias irracionales y conversaciones mentales destructivas. *Las conexiones calientes trabajan en conjunto con nuestros deberes y debieras absolutos conectándolos con nuestra ansiedad, ira y depresión.*

Veamos ahora como operan los deberes y las conexiones calientes de manera conjunta durante nuestras conversaciones mentales y nuestro pensamiento. Felicia cree: *"¡El mundo debe darme lo que yo quiero, cuando lo quiero y si eso no sucede, el mundo es un lugar espantoso y no lo puedo soportar!"* Felicia cree en el tercer <u>deber</u> <u>principal</u> y en <u>las</u> <u>conexiones</u> <u>calientes</u> uno y dos. Cuando se dice a sí misma el tercer deber principal (*"El mundo debe darme lo que quiero..."*) se va a alterar. Sin embargo, cuando continua con las dos conexiones calientes, 1 (*"y si eso no sucede, el mundo es un lugar espantoso"*) y 2 (*"y no lo puedo soportar"*), se altera aún más.

Nos ocasionamos ansiedad, ira y depresión considerables cuando unimos nuestros deberes a las conexiones calientes. Las conexiones se llaman "calientes" porque contienen lenguaje emocional volátil, causando emociones fuertes y perjudiciales. Consideremos las conexiones calientes más comunes.

1. Condena y Maldición de uno mismo y de los demás. *El condenar y maldecir es desear un castigo y la ruina para uno* *mismo, para los demás, y para las condiciones de la vida.* Este modo de hablarse a uno mismo causa mucha ira y a veces una conducta violenta hacia los demás. Condenarse a uno mismo es despreciarse y promueve la depresión. El decir palabrotas es, por supuesto, un modo de condenar y maldecir. Por ejemplo si usted se dice a sí mismo: *"¡Ese conductor !!#%@ que está delante de mi auto es un !!#%@ y debieran sacarlo de la autopista y pegarle un tiro!"*

Como lo mencioné en el Capítulo Uno, la ira es tan perjudicial para las emociones como para el sistema cardiovascular. Acepte que tanto usted como los demás y el mundo son falibles y complejos y evite darle a todo una simple y absoluta calificación como por ejemplo la maldición (Dryden y DiGiuseppe, 1990) o "!!#%@"

2. No-lo-puedo-soportar-ismo: Este tipo de conversación mental dice indignada: *"No puedo soportar esta incomodidad, frustración, ansiedad, ira o depresión. No podré sobrevivir o ser feliz si tengo que tolerar estos sentimientos desagradables. Me niego a aceptar el sentirme molesto".*

Es una exageración el decir que uno no puede soportar un acontecimiento dado que uno no se a muerto en el intento. Aunque el acontecimiento haya sido muy inoportuno o desagradable, uno ha sobrevivido y continua viviendo. Algunas veces la gente dice que no puede soportar algo cuando, en realidad, lo han estado haciendo durante años. Tania solía decirse a sí misma: *"Me muero si me llama el profesor"*. ¡Aunque el profesor de vez en cuando la llamaba, ella nunca se murió!

NO-LO-PUEDO-SOPORTAR-ISMO
⇩ causa
(BTF) BAJA TOLERANCIA A LA FRUSTRACIÓN
⇩ la que a su vez causa
FRUSTRACIÓN AGUDIZADA
⇩ la que a su vez causa
ANSIEDAD, IRA Y DEPRESIÓN

No-lo-puedo-soportar-ismo crea BTF: Baja Tolerancia a la Frustración. La baja tolerancia a la frustración agudiza los sentimientos de frustración. La BTF socava nuestra fortaleza en la resolución de problemas y en el alcance de nuestras metas, causándonos ansiedad, ira y depresión. La BTF nos torna irritables tanto con nosotros mismos como con los demás. Los estudiantes que tienen BTF a menudo se descorazonan y abandonan sus estudios.

3. Catastrofismo: El decir que algo es catastrófico o espantoso es lo mismo que afirmar que es 100% malo, generalmente peligroso y una amenaza para nuestras vidas. Cómo respondería si le preguntasen: "*¿Qué es lo que usted considera 100% malo, lo peor que le pudiera pasar en la vida?*" En general la gente responde: "*El estar con aquellos que amo y que nos matemos o quedemos lisiados en un accidente*". Si este evento es horrible (100% malo) ¿cómo consideraría el perder su trabajo, el reprobar un curso o girar al descubierto en su cuenta bancaria? Reserve el catastrofismo para los acontecimientos que son verdaderamente horribles y peligrosos.

A menos que algo sea 100% malo, y pocas cosas lo son, evite el lenguaje caliente y derrotista del *catastrofismo*. Cuando se hable a sí mismo en una situación incómoda *trate de sustituir por palabras frescas tales como "malo, inconveniente, fastidioso o desagradable" las palabras calientes tales como "horrible, terrible o espantoso"*.

4. No Valgo Nada: *Esto significa que no soy bueno para nada y no tengo ningún uso ni valor.* Todos somos falibles, una mezcla de cualidades positivas y negativas. Siendo realistas, no es posible que alguien sea el 100% PR (persona repugnante). El usar la conexión *No Valgo Nada* lleva a la Baja Tolerancia a la Frustración (BTF), baja auto-estima, depresión y vergüenza. Cuando se hable a sí mismo, evite hacerse una evaluación negativa generalizada.

5. Siempre o Nunca: *La actitud de Siempre o Nunca significa creer que esta persona que se comporta mal o la situación que es desagradable e irritante* siempre *va a ser así*

CNC, NS – Codigos para
las conexiones calientes

C	**Condena y Maldición**
N	**No-lo-puedo-soportar-ismo**
C	**Catastrofismo**
N	**No Valgo Nada**
S	**Siempre y Nunca**

CNC, NS son reglas mnemotécnicas útiles que ayudan a recordar *las cinco conexiones calientes.*

y nunca va a cambiar. No es realista el creer que una persona o situación van a comportarse siempre de la misma manera y nunca van a cambiar. Su reacción emocional a una situación o a una persona claro que pueden cambiar. El usar las palabras Siempre y Nunca crea ansiedad, ira y depresión.

Cuando esté disgustado por algo preste atención a lo que se está diciendo a sí mismo. Observe especialmente sus deberes y debieras. Luego preste atención a las cinco conexiones calientes. Mucho del sufrimiento que uno se impone a sí mismo se puede conectar con los tres deberes principales y las cinco conexiones calientes. *La actitud quejosa ocurre cuando uno se repite constantemente las cinco conexiones calientes a uno mismo y a los demás.*

Para practicar, deje el libro de SOS a un lado, busque lápiz y papel y haga una lista de los nombres de *las cinco conexiones calientes* de memoria. *Las cinco conexiones calientes* comienzan con las letras CNC, NS.

Observemos más de cerca la relación entre nuestras conexiones calientes, nuestros deberes y debieras, y nuestras emociones. El diagrama "Como las Conversaciones Mentales Causan las Emociones" muestra la relación entre los tres.

Tanto los *tres deberes principales como las cinco conexiones calientes son creencias irracionales y afirmaciones mentales* que causan un aumento de emociones desagradables y perjudiciales tales como la ansiedad, la ira y la depresión.

Como las Conversaciones Mentales Causan las Emociones

Los tres deberes principales: conversaciones mentales irracionales

1. Yo debo...!
2. Tú debes...!
3. El mundo y las condiciones de la vida...!

Las cinco conexiones calientes conectan los tres deberes principales con la ansiedad, la ira y la depresión

Condena y Maldición

No-lo-puedo-soportar-ismo

Catastrofismo

No Valgo Nada

Siempre o Nunca

Emociones Perjudiciales y Desagradables

Ansiedad
Ira
Depresión
y Otras Emociones Malsanas

El uso de los deberes, debieras como expresiones de preferencias es inofensivo, a diferencia de los deberes y debieras absolutos. *Los debieras preferenciales contienen un lenguaje fresco y no crean conexiones calientes* (catastrofismo, no-lo-puedo-soportar-ismo, condena y maldición, etc.) *"Yo debiera ir al almacén a buscar leche puesto que nos queda poca"*, es una expresión de preferencia. *Evite usar afirmaciones absolutas cuando se hable a sí mismo.**

PARA RECTIFICAR SUS EMOTIONES, RECTIFIQUE PRIMERO SUS CREENCIAS IRRACIONALES Y CONVESACIONES MENTALES.

EL CAMINO DE LOS FRACASOS CONSTANTES ESTÁ PLAGADO DE CREENCIAS Y CONVERSACIONES MENTALES IRRACIONALES.

Para saber más sobre la naturaleza básica de la gente tal como la concibe la terapia racional emotiva y conductual refiérase al Capítulo 13, *Información para los Consejeros.*

Lo Fundamental que Hay Que Recordar:

• SOS enseña cómo utilizar *la terapia racional emotiva conductual* (*TREC*) y *el ABC de las emociones* para ayudarnos a lograr mayor satisfación y el alcance de nuestras metas.

• ABC explica la fuente de nuestras emociones. "A" es el acontecimiento activador o la situación real desagradable. "B" representa nuestras creencias y lo que nos decimos a nosotros mismos sobre el acontecimiento activador. "C" es la consecuencia en términos de emociones y conductas.

---

* Es importante distinguir entre los debieras absolutos (malsanos) y los debieras preferenciales. *"Yo debo (absolutamente debo) conseguir el trabajo que estoy solicitando y si no lo consigo va a ser algo horrible."* Este es un debiera absoluto y perjudicial. *"Yo debiera (quiero, prefiero) conseguir el trabajo que estoy solicitando"*, es una expresión de preferencia y no es perjudicial.

- Nuestro disgusto emocional es causado principalmente por nuestras creencias irracionales, nuestros pensamientos automáticos, y aquello que nos decimos mentalmente y no por los acontecimientos y situaciones.

> SEA UN PENSADOR RECTO EN VEZ DE SER UN PENSADOR TORCIDO! LOS PENSADORES RECTOS SE DIVIERTEN MÁS Y SUFREN MENOS EL ESTRÉS.

- Los pensadores torcidos creen que las As (los eventos y situaciones) determinan fundamentalmente nuestras Cs (ansiedad, ira y depresión, y otras emociones perjudiciales).

- Los pensadores rectos saben que las As (acontecimientos y situaciones) nos influyen, pero que nuestras Bs (creencias y conversaciones mentales irracionales y racionales) nos influyen mucho más.

- El insistir en los tres debieras básicos (Yo debiera, tú debieras y el mundo y las circunstancias de la vida debieran...) causa ansiedad, ira y depresión. Debiera, no debiera, debieras absolutos, no debieras absolutos, son todos perjudiciales cuando son expresiones de exigencias absolutas de que tanto usted como los demás y el mundo sean diferentes.

- Las cinco conexiones calientes son también creencias y conversaciones mentales irracionales. Ellas incluyen *condena y maldición*, *no-lo-puedo-soportar-ismo*, *catastrofismo*, *no valgo nada*, y *siempre o nunca*. CNC, NS son siglas útiles para recordar las cinco conexiones calientes.

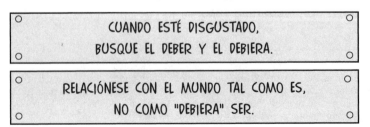

> CUANDO ESTÉ DISGUSTADO,
> BUSQUE EL DEBER Y EL DEBIERA.

> RELACIÓNESE CON EL MUNDO TAL COMO ES,
> NO COMO "DEBIERA" SER.

Capítulo 3

Auto-análisis de Nuestros ABC's

ABCS DE LAS EMOCIONES

Aprendimos nuestros ABCs

Para alcanzar nuestros objetivos y sentirnos contentos es importante que sepamos el ABC de nuestras emociones.

La A son los acontecimientos activadores, eventos reales y las situaciones que se nos presentan en la vida, muchas de ellas son desagradables. La B son las creencias y lo que nos decimos a nosotros mismos sobre estos acontecimientos activadores. La C son las consecuencias que siguen a estos eventos activadores y que incluyen tanto reacciones emotivas como de conducta. Estas reacciones incluyen tanto ansiedad, ira, y depresión, que son sentimientos, como también acciones y conductas.

Nuestras emociones y conductas son principalmente el resultado de nuestras creencias y de lo que nos decimos a nosotros mismos y no simplemente consecuencias de los acontecimientos reales de nuestra vida.

Causamos nuestro propio disgusto sobre todo cuando escalamos o avanzamos nuestros deseos y expectativas al nivel de exigencias absolutas o deberes y demandas. Estas

43

exigencias y deberes se vuelven inflexibles, intransigentes, son creencias irracionales que se refuerzan con lo irracional que nos decimos a nosotros mismos. Las creencias irracionales cuando se combinan con *las conexiones calientes* generan ansiedad, ira, y depresión.

Imagínese a una mujer de diecisiete años como Janet, con sólo siete libras de sobrepeso, parada frente al espejo, diciéndose a sí misma "*No puedo soportar* (conexión caliente) *tener siete libras de más. Debiera* (uno de los debieras absolutos) *tener un cuerpo perfecto y si no lo tengo es horrible* (otra conexión caliente) *y no valgo nada* (otra conexión caliente)". ¿Cómo se sentirá Janet cuando salga con alguien? ¡Bastante amargada y abatida! La evaluación negativa de sí misma es probable que se manifieste de esta manera.

¿Es que Janet necesita un cuerpo absolutamente 100% perfecto para tener una auto-estima y una auto-aceptación saludables? ¡Claro que no! Como no es posible tener un cuerpo absolutamente perfecto, Janet se a atrapado en su sentimiento de amargura. Ella tiene un alto riesgo de depresión, ansiedad, y de algún desorden de la alimentación, tal como la bulimia o la anorexia.

Nuestros deseos, preferencias y expectativas no pueden amargarnos la vida. Si Janet sólo dice: "*Ojalá tuviera un cuerpo perfecto*" no se amargaría. Pero en cuanto Janet intensifique su deseo hasta convertirlo en *una exigencia absoluta*, seguida de *conexiones calientes*, ella se estará haciendo infeliz.

Janet estaría menos estresada y mejor adaptada si se dijera: "*Ojalá tuviera un cuerpo perfecto, y voy hacer todo lo que pueda para mejorar mi cuerpo, pero si no lo logro no va a ser HTE (horrible, terrible, espantoso), es pura mala suerte, y puedo-soportarlo. Simplemente no me gusta tanto como me hubiera gustado tener un cuerpo perfecto.*"

El capítulo seis da una lista y describe las creencias irracionales más comunes y aquello que uno se dice a sí mismo que causa que la gente se altere emocionalmente. Tal vez le interese mirar las listas en ese capítulo.

Las Fuentes de Nuestras Creencias Irracionales y de lo que Nos Decimos a Nosotros Mismos

Tanto nuestras creencias racionales como irracionales y lo que nos decimos a nosotros mismos comienzan en la infancia. Aprendemos estas creencias de nuestros padres, de nuestra familia, de nuestros pares, amigos, de la sociedad en general, y sobre todo de los medios de comunicación masivos. Las películas, la televisión, las revistas, las canciones populares, y la mayoría de los medios de publicidad promueven muchas de las creencias irracionales y expectativas.

Isabel, una estudiante universitaria con una historia larga de anorexia parecía consumida. No obstante, su novio le dijo: "¡Te ves sensacional tal como estás ahora, no aumentes ni una libra!" Con este comentario su novio reafirmó sus creencias irracionales y sus conversaciones mentales.

En su mayoría, las creencias irracionales no nos vienen de los demás sino de nuestro pensamiento característico que crea creencias irracionales y aquello que nos decimos a nosotros mismos. Después de haber aceptado las creencias irracionales que nos vienen de los otros o las que hemos creado nosotros mismos, *tendemos a auto-adoctrinarnos continuamente con estos pensamientos irracionales y aquello que nos decimos a nosotros mismos.* Lo hacemos al repetirnos mentalmente esas creencias de manera constante y al actuar de acuerdo a ellas. Una vez generadas, las creencias irracionales persisten en nuestro consciente e inconsciente, a menos que las desafiemos enérgicamente o que las modifiquemos.

Concéntrese cuidadosamente en el lenguaje y las palabras que usted usa cuando se habla a sí mismo, especialmente cuando se siente contrariado. Sus palabras y lenguaje determinan sus creencias, como así también las revelan.

Hágase consciente de sus creencias irracionales y debilítelas estudiando y practicando los métodos y conceptos de *SOS Ayuda con las Emociones. Las creencias irracionales debilitadas ocasionarán una mayor satisfacción y una menor ansiedad, ira, y depresión.*

Para tomar más conciencia de sus creencias irracionales y de aquello que se dice mentalmente practique el reconocimiento del pensamiento recto (racional) y del pensamiento torcido (irracional). El pensar rectamente es reconocer que nuestras creencias y lo que nos decimos mentalmente (nuestras Bs) causan nuestras emociones y conductas (nuestras Cs). El pensar torcidamente es creer que los acontecimientos activadores (nuestras As) son las causas principales de las consecuencias tanto emocionales como de conducta (nuestras Cs). Sin embargo, como se explica en SOS, los acontecimientos no causan directamente las emociones.

Pensamiento Recto versus Pensamiento Torcido

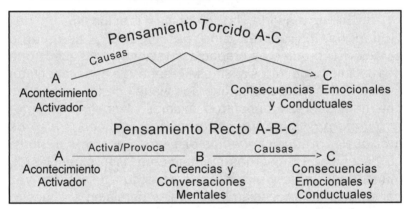

Fíjese que las Bs (creencias y conversaciones mentales) están ausentes en el pensamiento torcido A-C.

Identifique cuáles de estas conversaciones mentales indican afirmaciones irracionales, Pensamiento Torcido A-C en lugar de afirmaciones racionales, Pensamiento Recto A-B-C. Elija las conversaciones mentales irracionales y compare su elección con las respuestas enumeradas en el ejercicio siguiente.

> TRATE CON EL MUNDO TAL COMO ES Y NO COMO "DEBIERA SER".

Cómo Identificar el Pensamiento Irracional A-C: un Ejercicio

Identifique cuál de las siguientes afirmaciones mentales son torcidas y pertenecen al pensamiento irracional A-C que cree que los eventos son la causa directa de nuestras emociones.

1. *"Ella irió mis sentimiento con lo que dijo".*

2. *"Mi jefe me hizo enojar y cuanto más pienso en lo que hizo, más me enfurece".*

3. *"Me puse furioso con la conducta del empleado".*

4. *"Me dejó todo el día deprimida después de contarme sobre la experiencia terrible que tuvo".*

5. *"Realmente me puse de mal humor ayer cuando encontré a mi ex-esposa en el centro comercial".*

6. *"El quedarme encerrado en mi automóvil esta mañana me hizo sentir como un idiota".*

La mayoría de la gente piensa en palabras, frases, y oraciones (Ellis, 1994, p. 35). Nos evaluamos positiva o negativamente a nosotros mismos, a los demás, y al mundo con nuestros pensamientos y conversaciones mentales. Nuestro pensamiento determina entonces nuestras emociones y conductas.

¡Cuidado con el lenguaje que usa cuando habla consigo mismo! Evite el pensamiento y lenguaje irracionales A-C (el creer que los acontecimientos activadores son los que causan nuestras emociones). Use el lenguaje A-B-C (el creer que nuestras creencias son las que causan nuestras emociones) para tomar responsabilidad por sus emociones.

"Carlos analiza el ABC de su ira," ilustra la causa de nuestras emociones. Estudiaremos la D de disputa más adelante.

Conversaciones mentales que reflejan un pensamiento irracional A-C que culpa a los demás o a las situaciones de la vida por causar emociones desagradables están expresadas en las oraciones 1, 2, 4, y 6. Afirmaciones que sugieren un pensamiento racional A-B-C que toma responsabilidad por las emociones propias están expresadas en las oraciones 3 y 5.

Carlos analiza el ABC de su ira

A Acontecimiento Activador   B Creencias y Conversaciones Mentales

Activa
Provoca

"*¡Dijo que mi nariz era enorme!*"

Causan

"No tenía ningún derecho a hablarme así. Cómo se atrevió, no <u>debiera haberme</u> insultado. ¡Es un !!#%@ tonto! ¡Qué clase de !!#%@ persona puede decir semejante cosa! ¡No puedo-soportar que diga semejante cosa".

C Consecuencias:
Emocionales y Conductuales

D Disputa

"*¡Estoy furioso! ¡Estoy enojadísimo! Siento deseos de romperle la nariz a ese !!#%@! ¡Aunque sea mi jefe, lo voy a regañar y exigirle una disculpa!*"

"*Un momento! Me estoy enojando. No es él quien controla mi enojo sino yo mismo. Estoy molesto pero no es necesario que me enoje. Preferiría que no me hablara así, pero soy yo el responsable de mi propia ira*".

"Carlos analiza el ABC de su ira" ilustra la causa de las emociones. Consideremos el ABC de Carlos.

A: Acontecimiento activador - Aparentemente el jefe de Carlos le dijo que su nariz era enorme.

B: Creencias y Conversaciones Mentales - Las creencias y conversaciones mentales de Carlos contienen un debiera absoluto, "El no debiera..." Recuerde lo dicho en el Capítulo Dos, hay tres deberes principales: Yo debo... Tú (él o ella) debes (debe)! El mundo y las condiciones en las que vivo deben! Carlos está usando el segundo deber principal, "él debe..."

¿Y qué pasa con las conexiones calientes? ¿Cuáles está usando Carlos? *Condena y Maldición* y *No-lo-puedo-soportar-ismo* son las dos conexiones evidentes en sus conversaciones mentales.

C: Consecuencias: Emocional y Conductual - ¿Cuáles son las emociones de Carlos? Está enojado. ¿Y en cuanto a su conducta? Carlos está pensando en regañar a su jefe y exigirle una disculpa. ¡Ambas conductas son contraproducentes. ¡Está fantaseando con darle un puñetazo a su jefe, algo que ciertamente no lo va a beneficiar!

D: Disputa - Carlos esta disputando este pensamiento torcido (irracional). Se está dando cuenta de que lo que está diciéndose a sí mismo lo está irritando. Aprenderá más sobre la D de disputa en el Capítulo Cuatro.

El "Formulario de auto-análisis del A-B-C" está dirigido a ayudarnos a analizar nuestras creencias irracionales y aquello que nos decimos a nosotros mismos. Consideremos el formulario de análisis del A-B-C de Carlos. Este formulario lo puede ayudar a entender sus emociones y su reacción al encuentro desagradable con su jefe. Lo que es aún más importante, este formulario lo ayudará a identificar sus creencias irracionales y conversaciones mentales que son las responsables de sus emociones desagradables.

Encontrará que este formulario es una ayuda valiosa en la comprensión de sus emociones. Cuando se sienta disgustado, *analice sus ABCs*. Esto lo ayudará a manejar la ansiedad excesiva, el enojo, y la depresión.

Formulario de Auto-Análisis del ABC de Carlos

Fecha:_____

A <u>Acontecimiento</u> <u>Activador</u> (Acontecimiento desagradable o situación; pueden ser también acontecimientos que se anticipen):

¡Mi jefe dijo que mi nariz es enorme!

B <u>Creencias</u> <u>y</u> <u>Conversaciones</u> <u>Mentales</u> (Sus creencias irracionales y conversaciones mentales, especialmente sus debieras, sus deberes absolutos, y sus cinco conexiones calientes):

"No tenía ningún derecho a hablarme así."
"Cómo se atrevió, no debiera haberme insultado."
"¡Es un !!#%@ tonto!"
"¡No puedo-soportar que diga semejante cosa!"

C <u>Consecuencias:</u> <u>Emocionales</u> <u>y</u> <u>Conductuales</u> (Sus emociones desagradables y conductas inadaptadas):

Emociones:
¡Estoy furioso! ¡Estoy enojadísimo!

Conducta (tanto actuada como contemplada):
¡Siento deseos de romperle la nariz a ese!
Aunque sea mi jefe, lo voy a regañar y exigirle una disculpa!

LA CULPA NO LA TIENEN LAS ESTRELLAS
SINO NOSOTROS MISMOS.

SHAKESPEARE

CONCIENCIA DE UNO MISMO Y CONCIENCIA
DE LO QUE NOS DECIMOS A NOSOTROS
MISMOS SON PRÁCTICAMENTE LO MISMO.

Copie su propio formulario del "Análisis del A-B-C". Cuando se sienta disgustado, complete este formulario para ayudarlo a analizar y modificar sus emociones.

Formulario de Auto-Análisis del A-B-C

Fecha:_____

A **Acontecimiento Activador** (Acontecimiento desagradable o situación; pueden ser también acontecimientos que se anticipen):

B **Creencias y Conversaciones Mentales** (Sus creencias irracionales y conversaciones mentales, especialmente sus debieras, sus deberes absolutos, y sus cinco conexiones calientes):

C **Consecuencias: Emocionales y Conductuales** (Sus emociones desagradables y conductas inadaptadas):

Emociones:

Conducta (tanto actuada como contemplada):

A continuación se dan los pasos a seguir para el auto-análisis del ABC.

- Primero, ingrese lo que usted considere que es su A, acontecimiento activador.
- Segundo, escriba su C, consecuencias: emociones y conductas.
- Tercero, preste mucha atención a su B, creencias y conversaciones mentales.

Tercero, preste mucha atención a su B, creencias y conversaciones mentales. Luego escriba aquello que cree que son sus creencias irracionales y lo que se dice a sí mismo mentalmente. Observe particularmente cómo usa los tres deberes principales y las cinco conexiones calientes (como por ejemplo catastrofismo, no-lo-puedo-soportarismo, etc.). *El detectar su B, creencias y conversaciones mentales es la parte más desafiante del análisis.*

LOS ABCS DE UNA RABIETA

*"¡Buahhh! ¡No lo voy a hacer nunca más!
¡Quiero bajarme...!"*

La A del acontecimiento activador para este niño es que
lo hayan puesto en penitencia.

Sus Bs, creencias y conversaciones mentales, aquello
que se dice a sí mismo, incluyen "¡Mamita no debiera
ponerme en penitencia. Y ahora que me ya me puso, es
horrible y no lo puedo soportar!"

Sus Cs, consecuencias tanto emocionales como
conductuales, son el llorar, el gritar y suplicar, y el
alterarse emocionalmente.*

Los niños de dos años tienen una baja tolerancia a la
frustración, lo mismo sucede con algunos adultos. Los
ABCs de los adultos son fundamentalmente los mismos
que los de los niños. Nuestras Bs, creencias y
conversaciones mentales son las que principalmente
causan nuestras emociones y no las As, acontecimientos
activadores, desagradables. ¡Si usted tiene hijos,
comience a enseñarles desde temprano sus ABCs de
las emociones!

---

* La ilustración de los "ABCs de una rabieta" está basada en una fotografía que tomé
de mi hijo Todd cuando tenía dos años, luego de ponerlo en tiempo fuera de refuerzo.
Si está interesado en saber cómo Todd se sintió sobre el tiempo fuera de refuerzo
unos años más tarde, visite el sitio de internet de SOS y escuche una entrevista con
él a la edad de nueve años. <http://www.sosprograms.com>

    "Análisis del ABC de la ansiedad de Fabiana" también ilustra la causa de las emociones y conductas. Veamos el ejemplo siguiente. Estudiaremos la D de disputa en el Capítulo Cinco.

Análisis del ABC de la ansiedad de Fabiana

A Acontecimiento Activador

"¡Oh, el teléfono está sonando otra vez! No lo he contestado en todo el día".

B Creencias y Conversaciones Mentales

"El teléfono no debiera estar sonando! Es siempre un problema cuando alguien llama. Debe ser algo que no puedo soportar, algo horrible".

C Consecuencias: Emocionales y Conductuales

"No he hablado por teléfono en todo el día y no voy a empezar ahora... De todos modos, estoy demasiado disgustada y cansada para hablar con nadie. ¿Por qué la vida tiene que ser tan difícil? Estoy empezando a sentirme asqueada".

D Disputa

"¿Qué ley dice que el teléfono no debe sonar? El decir que siempre hay un problema cuando suena el teléfono es una exageración. Puedo soportar hablar por teléfono, y puedo soportar también situaciones que sean desagradables. No voy a exigir que mi vida esté totalmente libre de estrés".

Considere el "Formulario de Auto-Análisis del A-B-C
de Fabiana" para familiarizarse con su uso.

Formulario de Auto-Análisis del ABC de Fabiana

Fecha:_____

A **Acontecimiento Activador** (Acontecimiento desagradable
o situación; pueden ser también acontecimientos que se
anticipen):

El teléfono suena.

B **Creencias y Conversaciones Mentales** (Sus creencias
irracionales y conversaciones mentales, especialmente
sus debieras, sus deberes absolutos, y sus cinco
conexiones calientes):

"El teléfono no debiera sonar".
"Siempre es un problema cuando suena el teléfono".
"Debe ser algo que no puedo soportar, algo horrible".
"¿Por qué la vida tiene que ser tan difícil?"

C **Consecuencias: Emocionales y Conductuales** (Sus
emociones desagradables y conductas inadaptadas):

Emociones:

*Empecé a sentirme más cansada y disgustada. Empecé
a sentirme asqueada. Empecé a sentirme más ansiosa,
tensa, preocupada, y abrumada.*

Conducta (tanto actuada como contemplada):

Esta mañana tampoco contesté el teléfono.
*También evité salir afuera en publico o encontrarme con
gente.*

Analicemos los ABCs de Fabiana.

A: Acontecimiento Activador - El teléfono suena, un
acontecimiento que para la mayoría de la gente no es
estresante. Observe también que Fabiana no a contestado el
teléfono en todo el día.

B: Creencias y Conversaciones Mentales - Lo que Fabiana se dice a sí misma contiene uno de los deberes principales: "¡El teléfono no debiera sonar!" Esta afirmación muestra que Fabiana está usando el segundo (tú, el, ella, o ello deben...) o el tercer deber principal (el mundo y las condiciones en que vivo...) ¿Y en cuanto a las conexiones calientes? Hay tres de ellas: *siempre y nunca, no-lo-puedo-soportar-ismo*, y *catastrofismo*.

C: Consecuencias: Emocionales y Conductuales - En cuanto a las emociones, Fabiana está ansiosa, tensa, preocupada, y se siente abrumada por el estrés. Ella tiene síntomas físicos tales como la náusea y el cansancio. El no contestar el teléfono en todo el día puede ser un patrón de conducta evasiva, el evitar a la gente o situaciones que pueden ser levemente estresantes.

En la parte C de la ilustración, cuando Fabiana se pregunta a sí misma:"*¿Por qué la vida tiene que ser tan difícil?*", está implícitamente exigiendo que *la vida sea fácil*. Esta exigencia refleja el tercer deber mayor: "El mundo y las condiciones en que vivo debieran..."

D: Disputa - Fabiana está aprendiendo a detectar, disputar y desafiar enérgicamente sus creencias irracionales y sus conversaciones mentales. La D de disputar se va a analizar en el próximo capítulo.

Si Fabiana no continúa desafiando sus creencias irracionales y mejorando su emociones y conducta, ella puede acabar con algún tipo de trastorno de ansiedad tal como Trastorno Generalizado de Ansiedad. Se hablará de los trastornos de ansiedad en el Capítulo Seis.

Un Registro Diario del Humor nos permite mantener un registro diario de nuestras emociones a lo largo del día. Es sólo un registro aproximado, no da una medida o anotación exacta. Chequear diariamente nuestras emociones es importante para que luego modifiquemos y mejoremos nuestras emociones.

Para entender mejor nuestras emociones antes necesitamos ser más conscientes de nuestros pensamientos, nuestra conducta, nuestros hábitos de comer y dormir, los patrones de relación con los demás y las sensaciones de nuestro cuerpo (por ejemplo, tensión muscular, aparición de dolores de cabeza). En los capítulos siguientes se dan descripciones de problemas y trastornos de ansiedad, ira, y depresión.

Miremos el registro que Fabiana está llevando de sus emociones. Ella está registrando tres emociones desagradables básicas, la ansiedad, la ira, y la depresión. Su aflicción en términos de ansiedad es constantemente alta. En cuanto a la depresión, su aflicción es moderada. Fabiana informa que su nivel de ira es sencillamente bajo.

El registro diario del humor de Fabiana:
Registro de la ansiedad, la ira, y la depresión

En una escala de 1 a 10 escriba el número que corresponde al promedio de su humor diario. Leve is 1 a 3, moderado es 4 a 5, alto es 6 a 8, y grave es 9 a 10.

Fecha/hora	Ansiedad	Ira	Depresión	Notas
7-1	7	1	4	
7-2	8	1	3	
7-3	9	1	4	
7-4	8	1	5	
7-5	8	1	4	

A menudo la gente no tiene conciencia de ciertas emociones. Es posible que en la medida en que Fabiana tome más conciencia de sus emociones, tenga también más conciencia de su ira.

Cuando sus sentimientos de disgusto aumentan y se vuelven graves es hora de comenzar a estudiar sus sentimientos y aquello que se dice a sí mismo que lo disgusta. *El Formulario de Auto-Análisis del A-B-C* es un buen modo de

El Registro Diario del Humor:
Registro de la ansiedad, la ira, y la depresión

En una escala de 1 a 10 escriba el número que corresponde al promedio de su humor diario. Leve is 1 a 3, moderado es 4 a 5, alto es 6 a 8, y grave es 9 a 10.

Fecha/ hora	Ansiedad	Ira	Depresión	Notas

Las instrucciones siguientes describen cómo se mantiene un Registro del Humor Diario.

Primero, decida cuál de las emociones básicas va a registrar. Preste mucha atención a esas emociones. Registre el promedio aproximado de su humor correspondiente a las emociones que ha seleccionado para monitorear. Hágalo cada día. Entre anotaciones que lo ayuden a comprender mejor sus emociones.

empezar a comprender mejor sus sentimientos y conversaciones mentales.

Fotocopie o haga su propia copia del Registro Diario del Humor. Selecciones los sentimientos de ansiedad, ira, depresión, y otros sentimientos que la preocupan y mantenga un registro de ellos. *Al observar y volverse más consciente de sus sentimientos de disgusto, usted los podrá modificar más eficazmente.*

> CUANDO ESTÉ DISGUSTADO, ANALICE SUS CREENCIAS
> Y AQUELLO QUE SE DICE A SÍ MISMO.

> PARA CAMBIAR EL MUNDO OCÚPESE DEL
> MUNDO COMO ES, NO COMO "DEBIERA"
> SER.

"Los tres grandes"
El pastel de las emociones desagradables

Las tres emociones desagradables
principales son la ansiedad, la ira, y la
depresión

> EL NOMBRAR SUS EMOCIONES ES
> FUNDAMENTAL PARA PODER
> ENTENDERLAS.

Darle un Nombre a los Sentimientos

Nombres de los Sentimientos Agradables

satisfecho	feliz *SOS*
aceptado, querido	encantado
apreciado	bien, fenomenal
capaz, seguro de sí mismo	agradecido
exitoso	contento
cómodo, relajado	afectuoso, amado
entusiasta	satisfecho
alegre, eufórico	divertido
esperanzado, optimista	orgulloso
fortalecido	respetado
aliviado	estable, seguro

Nombres de los Sentimientos Desagradables

enojado, furioso	infeliz, abatido
irritado, malhumorado	engañado, traicionado
atemorizado, asustado	no querido, desatendido
decepcionado, defraudado	desanimado
solitario, excluido	abochornado
sin amigos, rechazado	herido
despreciable, inútil	cansado
estúpido, tonto	aburrido
disgustado, tenso	confundido
preocupado, ansioso	frustrado
inseguro	inferior
celoso	culpable
	avergonzado

Aprenda a ser más consciente de sus sentimientos al darles un nombre. Esta lista le da etiquetas para sentimientos comunes, tanto agradables como desagradables. Para obtener una lista práctica de sentimientos, fotocopie esta lista, córtela por la línea, dóblela, y péguela. Repase esta lista cuando esté confundido en sus sentimientos.

EL BAGAJE EMOCIONAL EXCESIVO

"Estoy emocionalmente <u>agotada</u>! Soy una de esas personas desafortunadas de las que usted habrá oído hablar. Me he cargado con montones de conversaciones mentales irracionales. Estoy constantemente diciéndome a mí misma los tres Deberes Principales y las Cinco Conexiones Calientes".

Mientras recorren la vida hay personas que llevan una carga emocional pesada.

Los tres deberes principales y las cinco conexiones calientes son cargas perjudiciales para nuestro bienestar emocional. Continúe leyendo para enterarse de cómo estas creencias irracionales y conversaciones mentales causan constante ansiedad, ira, y depresión.

El conocer nuestros sentimientos y emociones es una de las cinco habilidades de la inteligencia emocional. Un factor importante para comprender y manejar las emociones propias es ser capaz de darles un nombre. Cuando esté confundido sobre lo que está sintiendo, repase la lista "Darle un Nombre a los Sentimientos".

Indudablemente, usted experimentará por lo menos varios de estos sentimientos, aunque ellos estén a un bajo nivel de conciencia.

Ya que nuestros sentimientos surgen de nuestros pensamientos y de aquello que nos decimos a nosotros mismos, es aún más importante que seamos conscientes de nuestros pensamientos y de aquello que nos decimos a nosotros mismos.

APRENDA A CALMAR SUS EMOCIONES.

Lo Fundamental que Hay Que Recordar:

- Conciencia de nuestros sentimientos y conciencia de aquello que nos decimos a nosotros mismos son prácticamente lo mismo.

- Cuando nuestros sentimientos de disgusto se agravan o vuelven severos, es hora de comenzar a estudiar nuestras creencias y conversaciones mentales.

- Los ABCs explican la fuente de nuestras emociones. A es el acontecimiento activador o hecho real. B son nuestras creencias y aquello que nos decimos a nosotros mismos. C es la consecuencia en términos de emociones y conductas.

- Nuestras emociones y conductas son principalmente el resultado de nuestras Bs, creencias irracionales y conversaciones mentales, y no tanto de los acontecimientos en nuestras vidas.

- *Los tres deberes principales* cuando se combinan con las cinco conexiones calientes generan sentimientos intensos de ansiedad, ira, y depresión.

- *Complete el Formulario de Auto-análisis del A-B-C.* Es un buen modo de adquirir una mayor comprensión de nuestras creencias, conversaciones mentales, y emociones.

- Piense en mantener un Registro Diario del Humor de su ansiedad, ira, y depresión, o de otra emoción perturbadora.

- Cuando esté confundido sobre lo que está sintiendo, repase la lista "Darle Nombre a las Emociones".* Darle un nombre a sus emociones es esencial para comprenderlas.

- Las creencias irracionales debilitadas darán mayor satisfacción y menos estrés, ansiedad, ira, y depresión.

- Pruebe su conocimiento de los tres primeros capítulos de SOS. Vaya al Capítulo 12 y complete la Primera Parte de las pruebas y ejercicios.

CREÍAMOS QUE EL MUNDO SE ADAPTARÍA A
NUESTRAS NECESIDADES... *

---

* La canción de "La Clase del 54" de Los Hermanos Statler, puntualizando las creencias irracionales y expectivas de los graduados.

Segunda Parte

CÓMO MANEJAR NUESTRAS EMOCIONES

www.sosprograms.com

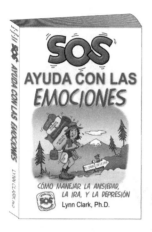

Español SOS

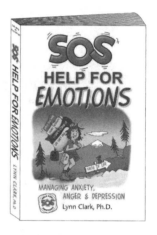

Inglés SOS

SOS Ayuda Para Padres

DVD Video SOS Ayuda Para Padres
www.sosprograms.com

Visite nuestro sitio de internet. Puede bajar copias gratis de los materiales de SOS en <**www.sosprograms.com**>

Capítulo 4

Cómo Manejar Nuestras Creencias, Conversaciones Mentales, y Emociones

¡Ese letrero debiera estar derecho! No-puedo-soportar que este torcido. ¡Voy a enderezarlo!

Evite edificar su vida y basar sus acciones en los tres deberes principales y las cinco conexiones calientes. Va a encontrar que es difícil, o casi imposible, que usted manejar sus emociones y su vida y al mismo tiempo sostener creencias irracionales y utilizar afirmaciones irracionales.

El manejar sus emociones es una aspecto importante de su inteligencia emocional, su éxito, y felicidad. El controlar sus creencias irracionales y sus conversaciones mentales es esencial para el manejo de sus emociones.

En este capítulo usted aprenderá varios métodos que le ayudarán a manejar sus emociones. Estos incluyen:

- distinguir entre *un problema emocional y un problema práctico*

- tratar *su problema emocional antes de tratar el problema práctico*

- reemplazar *las emociones malsanas* por aquellas que son sanas

- reemplazar *sus deberes y debieras* con *preferencias y deseos*

- cuando se habla a sí mismo, *utilizar un lenguaje tranquilo*

- practicar *visualizaciones mentales*

- aprender *técnicas de afrontamiento*

- practicar *respiración profunda y relajación muscular* y

- darse cuenta de que ciertas actividades que reducen el estrés *pueden hacernos sentir mejor pero eso no implica que estemos mejorando*

Aprenderemos cómo *la Perspectiva del ABC de Nuestras Emociones y Disputa* nos permite desafiar y cambiar nuestras creencias irracionales y aquello que nos decimos a nosotros mismos. Como hemos dicho anteriormente, el SOS sigue el método de la terapia racional emotiva y conductual, una práctica valiosa de auto-ayuda. (Ellis 1994)

---

* La cita en la página anterior: "*La culpa no está en las estrellas, sino en nosotros*", es de Shakespeare. Nuestros problemas esta condicionados por nuestros pensamientos y acciones más que por la posición de las estrellas y por nuestro nacimiento. Además, podemos ejercer una influencia considerable sobre nuestros *pensamientos y acciones futuras.*

Tratemos Primero Nuestros Problemas Emocionales Antes de Nuestros Problemas Prácticos

La mayoría de los problemas que encontramos puede dividirse en problemas prácticos y emocionales. *Problemas prácticos son dificultades y conflictos con los demás y con el mundo externo.* Estos problemas pueden ser: notas bajas, estar atrasado dos meses en el pago del alquiler, no tener compañía para el sábado a la noche. *Los problemas emocionales son sentimientos desagradables y aflicción emocional relacionados con los problemas prácticos.* Los problemas emocionales incluyen: la angustia, la ira, la depresión, los celos, la culpa excesiva, la vergüenza, y la indecisión.* Es importante que primero nos ocupemos de nuestra aflicción emocional sobre el problema práctico, para luego ocuparnos del problema práctico.

UN ATAQUE DE EPILEPSIA EN VENECIA

Mi familia y yo estábamos caminando por la Plaza de San Marco después de visitar la hermosa Catedral de San Marco en Venecia, Italia. Delante nuestro vimos un hombre sacudiéndose en el suelo. Dos hombres corrieron a su encuentro para levantarlo del suelo.

Me dije a mí mismo: "*Piensa con calma. Esto parece ser una convulsión epiléptica. No te agites. Tratar de levantar a alguien mientras tiene un ataque de epilepsia puede ser peligroso*".

Aunque mi corazón latía apresuradamente, me dirigí inmediatamente hacia los hombres. Sintiéndome más confiado les dije: "¡Paren! en Inglés y en Alemán. Lamentablemente, estaba en Italia donde la gente habla Italiano. Como no conocía la palabra "no" en Italiano, me comuniqué por gestos, indicándoles que lo bajaran. Lo pusieron de vuelta en el suelo y yo puse mi chaqueta

---

* Lenguaje técnico: Los problemas prácticos se pueden ver como una A de acontecimientos activadores. Nuestros problemas emocionales y disgustos causados por los problemas prácticos son las Cs de consecuencias. En buena parte controlamos nuestras consecuencias emocionales a través de nuestras creencias y aquello que nos decimos a nosotros mismos.

doblada bajo su cabeza para protegerla. Acabada la convulsión, dos personas llegaron con una camilla y se llevaron al hombre que estaba inconsciente.

Antes de ayudar a este hombre en dificultades, traté de calmarme a mí mismo. Luego hice lo que me pareció era lo mejor para el hombre, incluyendo que los otros dos hombres no le hicieran daño accidentalmente.

En esta situación estresante me di cuenta que lo primero que debía manejar eran mis emociones (ansiedad), diciéndome a mi mismo que mantuviera la calma y luego podía intentar manejar el problema práctico (la convulsión).

Luego de que se llevaran al hombre, me quedé preocupado por él. Sin embargo, esa tarde continué disfrutando de los edificios hermosos a lo largo de los canales de Venecia.

El estrés y la tensión que experimentamos en la vida diaria viene de los problemas prácticos, en particular de la aflicción emocional provocada por esos problemas prácticos. Luego que calmemos y manejemos nuestra reacción emocional a los problemas prácticos, podemos resolver más

Ocupémonos Primero de los *Problemas Emocionales* y luego de *los Problemas Prácticos*

Problemas *prácticos*	Problemas *emocionales*
La situación	Usted se siente…
1.Su hija de seis años le contesta irrespetuosamente.	1.enojado
2.Un amigo lo ignora durante una fiesta.	2.deprimido
3.Otro automóvil se le cruza en el tráfico.	3.enojado
4.Un colega particularmente talentoso es contratado en su trabajo.	4.temeroso y ansioso sobre su trabajo
5.El fumigador le dice que tiene termitas en su casa.	5.deprimido y ansioso
6.Su automóvil no arranca y llegará tarde al trabajo.	6.frustrado

efectivamente los problemas prácticos basados en la realidad. Ponga primero lo que va primero. *Para resolver problemas prácticos, maneje primero las reacciones emocionales a esos problemas prácticos.*

Cuando se disgusta por dificultades que son inevitables en la vida, practique el preguntarse cuáles de esos problemas son prácticos y cuáles son emocionales tales como ansiedad, miedo, ira, y depresión.

Su reacción a la respuesta descarada de su hija de seis años puede ser enojo. Sin embargo, el responder con ira, sarcasmo, amenazas, y un castigo violento es generalmente inefectivo y puede intensificar su mala conducta a largo plazo. Si usted usa sarcasmo, usted está dándole ejemplo de un modo de hablar agresivo, una conducta cáustica que es la misma que su hija está demostrando.

Maneje su problema emocional (su ira y sus expresiones) antes de manejar el problema práctico (la respuesta irrespetuosa de su hija). *SOS Ayuda para Padres* describe métodos efectivos para manejar los problemas prácticos que presentan los niños*

Las personas que se enojan fácilmente por lo general niegan tener un problema emocional, y creen tener sólo un problema práctico. Creen que la conducta de los demás o un mundo difícil los a enojado.

Decida un Objetivo para Sus Emociones

¿Cómo quiere sentirse o actuar cuando encuentre decepciones, acontecimientos estresantes, o gente frustrante? Piense en los varios problemas prácticos que usted encuentra y en sus respuestas emocionales a estos problemas. Escriba cómo prefiere sentirse y actuar en respuesta a esos problemas. *Decida y fíjese un objetivo de cómo le <u>gustaría</u> sentirse y actuar cuando confronta problemas prácticos difíciles.*

---

* *SOS Ayuda para Padres*, un libro para padres de niños entre los dos y doce años de edad, escrito por Lynn Clark y publicado por SOS Programs y Parents Press. Al final de este libro encontrará más información sobre *SOS Ayuda para Padres*.

Elija un modelo positivo que desear imitar. Piense en una persona que usted admira por el modo como maneja efectivamente los desafíos y las situaciones estresantes sin ponerse excesivamente ansioso, enojado, o deprimido. Permita que esa persona sea su modelo. Cuando enfrente una situación estresante, pregúntese cómo esa persona manejaría ese problema sin afligirse demasiado. Imite los gestos de esa persona, su sistema de creencias racionales, su respuesta emocional y su conducta. ¡No deje que los héroes de películas violentas, tales como Clint Eastwood o Sylvester Stallone, sean sus modelos, esto le causaría demasiados problemas en la vida real!

A través de los años, mi tío David a sido un ejemplo positivo en mi vida. Con frecuencia, cuando he confrontado situaciones difíciles y decisiones de negocios, me he preguntado cómo se sentiría y actuaría mi tío en la misma situación. En muchas ocasiones, mi reacción emocional y mi conducta se han modelado de manera positiva de acuerdo a la imagen que he tenido de cómo mi tío hubiera respondido.

Lamentablemente, los medios de comunicación masiva (por ejemplo la televisión, las películas, las grabaciones) nos dan tanto a nosotros y como a nuestros jóvenes un modelo negativo de cómo manejar la ira, la agresión, la frustración. La conducta agresiva y violenta es cada vez más frecuente en los Estado Unidos. Nuestro índice de homicidios es siete veces más alto que los de Inglaterra, Europa, Japón, y muchos otros países desarrollados. Tanto nosotros como nuestra juventud estamos expuestos a una violencia considerable, incluyendo violencia sexual, en los medios masivos y programas de entretenimiento populares. Los héroes populares en los medios a menudo atacan a los demás y resuelven los problemas con agresión y violencia. Antes de enfrentar situaciones estresantes, *decida cómo quiere sentirse y comportarse.*

PARA PODER RESOLVER LOS PROBLEMAS PRÁCTICOS, PRIMERO MANEJE SUS PROBLEMAS EMOCIONALES.

Reemplace Sus Emociones Malsanas con Emociones Sanas

Para modificar su reacción emocional a los problemas prácticos comience con la Perspectiva del ABC de Nuestras Emociones. Piense en los problemas prácticos como las As o acontecimientos activadores. Nuestras respuestas emocionales y conductuales a estos problemas prácticos son las Cs o consecuencias. Como nos enseña el enfoque del ABC, nuestras creencias y conversaciones mentales determinan nuestras emociones y conductas. *Recuerde, somos nosotros mismos los que principalmente causamos nuestras propias emociones.*

La Perspectiva del ABC de Nuestras Emociones		
A $\xrightarrow{\text{Activa/Provoca}}$	B $\xrightarrow{\text{Causa}}$	> C
Acontecimiento Activador	Creencias y Conversaciones Mentales	Consecuencias Emocionales y Conductuales

Además de darle forma a nuestras emociones con aquello que nos decimos a nosotros mismos, podemos reemplazar nuestras emociones malsanas con emociones alternativas sanas. Cuando experimentamos acontecimientos desagradables no es razonable el esperar tener emociones placenteras o neutrales. A menudo, nuestras emociones van a ser desagradables.

Sin embargo, podemos influir en *la severidad* o profundidad de nuestra aflicción emocional cuando confrontamos acontecimientos malos. Vea la ilustración: "Reemplace Emociones Malsanas con Emociones Sanas" que ofrece una lista de emociones malsanas y las emociones sanas alternativas.

LAS PREFERENCIAS, DESEOS, Y ANHELOS NO PUEDEN ABATIRNOS. LAS EXIGENCIAS ABSOLUTAS, LOS DEBERES Y DEBIERAS SÍ LO PUEDEN.

Reemplace Emociones <u>Malsanas</u>
con Emociones <u>Sanas</u>

Emociones desagradables y <u>malsanas</u>	Emociones desagradables pero <u>sanas</u>
1. Ansiedad y Temor	1. Preocupación
2. Furia e Ira	2. Disgusto
3. Desesperación y Depresión	3. Tristeza
4. Frustración Extrema	4. Decepción
5. Culpa Severa	5. Remordimiento
6. Herida Profunda	6. Desilusión
7. Vergüenza	7. Arrepentimiento
8. Celos Extremos	8. Celos Leves
9. Humillación	9. Bochorno
10. Odio a sí mismo	10. Disgusto con intención de cambiar

Todas las emociones que figuran en la ilustración anterior son desagradables. Sin embargo, las emociones sanas son menos severas y perturbadoras. Al sentir menos aflicción va a resolver más efectivamente los problemas prácticos. El reemplazar sus emociones desagradables malsanas con emociones sanas es su meta.

Reemplace los Deberes y Debieras con Preferencias y Deseos

No intensifique sus preferencias y deseos en exigencias, deberes, y debieras absolutos. Cuando descubra que usted está poniendo exigencias, convierta sus deberes y debieras en deseos y preferencias. Los deberes absolutos y conexiones calientes son creencias irracionales y conversaciones mentales malsanas.

Nuestros deseos y preferencias no logrados no pueden abatirnos. Sin embargo, nuestras exigencias absolutas (debo, debes, y no debiera) cuando están unidas a las conexiones calientes (condena y maldición, no-lo-puedo-soportar-ismo, catastrofismo, no soy digno, y siempre o nunca) pueden abatirnos.

"La gente comienza con un deseo y lo torna una exigencia. Disputándolo enérgicamente, repetidamente, y en voz alta puede tornarlo nuevamente en un deseo." (Ellis 2001)

"La exigencias (o sea los tres deberes) llevan a perturbación emocional, las preferencias llevan a estabilidad emocional. (Morris en Weinrach, 1996)" *Cambie sus deberes y exigencias en deseos y preferencias.*

Use un Lenguaje Emocionalmente Refrescante

Use un lenguaje emocionalmente refrescante cuando se hable a sí mismo y a los demás, especialmente en situaciones en las que puede perturbarse demasiado. Evite el lenguaje caliente, cargado emocionalmente cargado porque sus pensamientos y lenguaje causan su disgusto emocional.*

El uso impreciso del lenguaje es la causa del pensamiento torcido. (Corey, 1996, p. 329). Nuestro lenguaje le da forma a nuestro pensamiento. Nuestro pensamiento le da forma a nuestro lenguaje; nuestro pensamiento y lenguaje le dan forma a nuestras emociones y conductas.

En lugar de describir una situación como "espantosa", descríbala como "inconveniente". La situación va a ser un poco más fácil de tolerar emocionalmente.

Imagine un termómetro. El mercurio en el termómetro puede representar el calor de sus emociones. Sus creencias irracionales y aquello que se dice a sí mismo son la causa del calor. Visualice el bajar la temperatura en su lenguaje y observe el mercurio en el termómetro y el calor en sus emociones bajar.

> SOMOS NOSOTROS LOS QUE PRINCIPALMENTE CAUSAMOS NUESTRAS EMOCIONES.

---

* Lenguaje técnico: los terapeutas lo llaman lenguaje caliente y emocionalmente cargado "pensamientos calientes" o "cogniciones calientes". Los adolescentes a veces le dicen a sus amigos "enfríate" cuando ven que un amigo comienza a perturbarse o irritarse.

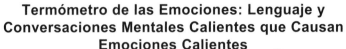

Termómetro de las Emociones: Lenguaje y Conversaciones Mentales Calientes que Causan Emociones Calientes

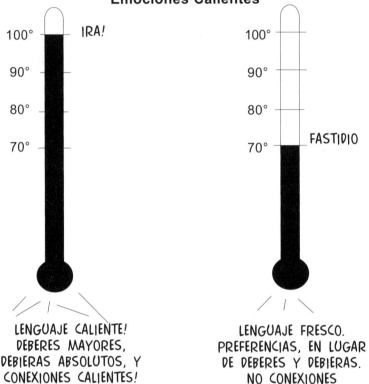

Un error común es el creer que el lenguaje caliente, agresivo, y "potente", que desafía, maldice, y condena a los demás y al mundo al dar rienda suelta al enojo va a reducir la ira. Momentáneamente tal vez usted sienta el placer de expresar una furia intensa. Sin embargo, usted está practicando pensamientos calientes y de hecho intensificando la carga total del ira. Tanto la expresión de la ira como el llevar una carga de ira causa problemas cardiovasculares.

APRENDA A CALMAR SUS EMOCIONES.

Practique Primero Visualizaciones Mentales Negativas y luego Positivas

UN EJERCICIO DE VISUALIZACIÓN MENTAL
Use visualización mental negativa. La visualización mental negativa es imaginarse a usted mismo experimentando nuevamente la misma situación mala que pasó, con el mismo grado de disgusto que experimentó la primera vez. Sostenga esta imagen y sentimientos negativos por un minuto o más. Luego, lentamente cambie esta imagen y sentimientos desagradables en imágenes y sentimientos más agradables.

Utilice visualización positiva. Imagine la misma situación, pero esta vez sintiéndose menos disgustado y comportándose más racionalmente. Esta es una visualización positiva. Continúe practicando visualizaciones mentales positivas y continúe reemplazando las emociones y conductas viejas y malsanas por estas emociones y conductas menos perturbadoras y más sanas.

¿Por qué usamos visualización mental negativa con la positiva? El usar intencionalmente tanto la visualización negativa como la positiva lo ayuda a distinguirlas claramente.

El usar visualización negativa y luego positiva ayuda a sobrellevar las situaciones desagradables pasadas y las futuras, como en el caso de situaciones estresantes anticipadas tales como la perspectiva de pedir un aumento de sueldo o salir con alguien. Sin embargo, la visualización mental sólo ayuda si usted la practica.

Una forma malsana de visualización mental es imaginarse reiteradamente castigando a una persona con la que usted está enojado — alguien que ha transgredido uno de sus debieras principales. Esta se llama la "*Fantasía del héroe que castiga*".

Evite la trampa de practicar solamente visualización mental negativa. Lamentablemente hay gente que se visualiza repetidamente pasando nuevamente por situaciones negativas con las mismas emociones y conductas malsanas que experimentaron en la situación inicial. Lo hacen sin practicar al mismo tiempo visualización mental positiva. *El practicar sólo visualización mental negativa es nocivo y lleva a pensamientos obsesivos, como así también a una intensificación de la ansiedad, la ira, o la depresión.* Es particularmente importante el practicar visualización mental positiva.

FUE DESPEDIDA A LOS 55 AÑOS —
Y PRACTICÓ SÓLO VISUALIZACIÓN MENTAL NEGATIVA

Betty, una ejecutiva de 55 años perdió su trabajo durante un tiempo de recortes empresariales y reducciones de gastos. Un lunes cuando llegó a su trabajo la recibieron dos ejecutivos que le dijeron "*Su posición ha sido eliminada. Limpie su escritorio y váyase*". A Betty esto la tomó por sorpresa, lloró, y suplicó que le devolvieran su trabajo. Todavía estaba emocionalmente perturbada cuando sus jefes la acompañaron a su auto en el estacionamiento.

A menudo, durante los meses siguientes, Betty repetó mentalmente los acontecimientos perturbadores de ese lunes. Pensaba frecuentemente: "*Es injusto el modo como me despidieron. No debieran haberme despedido. No-puedo-soportar no tener un trabajo. No-puedo-soportarme a mí misma por la manera vergonzosa en que actué ese día*". Cada mañana al levantarse, el primer pensamiento que Betty tenía era el del día de su despido. Cada noche, al irse a dormir, éste era también su último pensamiento. Betty se sentía terrible.

Al repetir constantemente los malos acontecimientos, Betty practicaba continuamente visualización negativa y perjudicial. Continuó sintiéndose enojada con la compañía y consigo misma por su conducta de ese día. Betty no iba a dejar de lado sus creencias irracionales, pensamientos calientes, deberes principales, conexiones calientes, su depresión grave y continua, su ira, y su sufrimiento.

Utilice Auto-Afirmaciones que lo Ayudan a Afrontar los Desafíos

Cuando se sienta extremadamente frustrado o contrariado, use auto-afirmaciones que lo ayuden a manejar sus emociones.* Este tipo de afirmaciones reemplazan el pensamiento torcido, las conversaciones mentales irracionales, y las emociones malsanas.

Estos con ejemplos de afirmaciones que ayudan a afrontar:

"La vida es dura".
"La vida es dura pero puedo sobrellevarla".
"Esto no me gusta pero lo puedo soportar".
"Algunas veces la vida es cruda".
"El mundo es absurdo".

Cuando algo me frustra, esta frase me resulta de gran ayuda: *"Aunque esto no me guste, no hay inconveniente. Igual lo puedo soportar"*.** El repetir estas afirmaciones (por lo menos tres veces) me ayuda a sentirme menos frustrado y estresado a causa de una situación negativa. Si usted es un padre, enséñeselo a su hijo y repítanlo juntos. Ambos aprenderán un método adicional para controlar las emociones.

Desarrolle otras afirmaciones de afrontamiento personales que le sirvan cuando esté ansioso, enojado, deprimido. *Desarrolle afirmaciones con un lenguaje calmo.*

Distracción, Diversión, y Entretenimiento

Ocúpese en algo agradable para darse un respiro de la situación que lo perturbaba. No obstante, evite la trampa de las diversiones perniciosas como comer en exceso, fumar, tomar demasiado, usar drogas "recreativas", y meterse en actividades que son auto-destructivas.

---

* Lenguaje técnico: Las afirmaciones mentales que ayudan a afrontar están estrechamente relacionadas con la disputa. Esto lo comentaremos en el Capítulo Cinco.

** Esta afirmación es una traducción de un jingle de Nottengham (1994) y del Instituto Albert Ellis para la Terapia Racional Emotiva y Conductual.

La distracción y la diversión dan un alivio eficaz pero temporario. La distración y la diversión lo ayudan a sentirse mejor, pero no a ponerse mejor. Para un alivio más duradero, cambie sus deberes principales y sus conexiones calientes.

Practique Respiración Profunda y Relajación Muscular Progresiva

Diariamente, o cuando se sienta tensionado, ansioso, o contrariado, practique ejercicios de relajación. Acuéstese o siéntese en una silla cómoda.

Respiración profunda: Cierre los ojos y vacíe su mente de todo pensamiento. Tome aire profundamente y visualice el aire fresco que entra por su nariz y llena sus pulmones. Concéntrese en su respiración y en el sonido del aire. Con cada respiración piense en las palabra "calmado" o "relajado".

Concéntrese en el aire nuevo, relájese y mantenga el aliento hasta que ya no le sea confortable. Mientras exhala lentamente, continúe relajándose y concentrándose sólo en su respiración y en el aire que sale de su cuerpo.

Continue esta respiración con otras inhalaciones profundas, etc. Es beneficioso hacer este ejercicio por lo menos por diez minutos.

Instrucciones para la relajación muscular progresiva: Usted va a tensionar y relajar progresivamente varios grupos de músculos mientras se relaja mentalmente. Cierre los ojos y vacíe su mente de pensamientos.

• Apriete el puño en cada mano, mantenga los puños apretados por unos segundos y concéntrese en la tensión muscular. Relaje los puños, concéntrese en sus puños que deben sentirse tibios y pesados al estar relajados. Diga en silencio: "Mis puños están calmados y relajados".

• Tensione sus brazos y sus puños por unos diez segundos. Concéntrese en estas sensaciones musculares. Relaje estos músculos y concéntrese en cómo se sienten tibios, pesados, y relajados.

• Tensione sus hombros, cuello, cara, y mandíbula al mismo tiempo que sus brazos y puños. Siga las mismas instrucciones de arriba.

• Tensione su pecho, estómago, espalda, y los grupos musculares anteriores. Siga las instrucciones anteriores.

• Progresivamente, agrege más músculos y siga con las mismas instrucciones.

Los ejercicios de relajación le ayudan a distinguir más claramente entre los estados de tensión y los de relajación. Notará ciertos cambios <u>físicos</u> pasajeros y también cambios en <u>el</u> <u>pensamiento</u> y <u>el</u> <u>sentimiento</u>. La mayoría de la gente recibe con agrado los cambios que se producen con la relajación progresiva y los ejercicios de respiración profunda.

Precaución: Hay personas que sufren de ansiedad y pánico que tal vez sientan estas emociones cuando empiecen a practicar ejercicios de relajación. Debido a que sus pensamientos automáticos pueden llegar a interpretar sus cambios físicos y mentales como algo catastrófico. Más adelante, en el Capítulo Siete, Manejar la Ansiedad, se hablará más de las *malinterpretaciones catastróficas de sensaciones físicas.*

Los ejercicios de relajación se presentan en una variedad de programas de auto-ayuda, libros, y grabaciones. Se necesitan varias semanas de práctica antes de que usted empiece a sentir los beneficios de los ejercicios de relajación. Dése tiempo para sentir el beneficio.

Al igual que la distracción y la diversión, la relajación da alivio eficaz, aunque pasajero, de las emociones desagradables. Para un alivio más duradero, use la Perspectiva del ABC de la Emociones para entender y mejorar sus emociones.

El ejercicio físico también ayuda a aliviar el estrés emocional y también es beneficioso para la salud.

Métodos para Conseguir un Pensamiento Racional y una Vida Exitosa: Resumen

Este es un resumen de los métodos y técnicas para manejar sus emociones y adquirir un pensamiento racional. Estos métodos se tratan a lo largo de SOS e incluyen los siguientes:

- **Reconozca que las creencias y aquello que nos decimos a nosotros mismos son la causa principal de las emociones** y no los acontecimientos reales o los problemas prácticos.

- **Use la Perspectiva del ABC de Nuestras Emociones para comprender y mejorar sus emociones.**

- **Trate primero el problema emocional** (su reacción emocional a un problema práctico) antes de intentar resolver con el problema práctico.

- **Elija un objetivo sobre sus emociones y acciones.** Escriba cómo quiere sentirse y actuar cuando encuentre situaciones estresantes y frustrantes. Elíjase un modelo positivo.

- **Reemplace emociones malsanas con emociones sanas.** Reemplace miedo por preocupación.

- **Reemplace *los tres deberes principales y los debieras absolutos* con preferencias y deseos.**

- **Deje cualquiera de las cinco conexiones calientes** (catastrofismo, no-lo-puedo-soportar-ismo, maldición y condena, no valgo nada, siempre o nunca) que esté usando.

- Cuando hable consigo mismo y cuando hable con los demás, **use un lenguaje emocional fresco.** Deje que el mercurio en el termómetro represente el calor de sus emociones y evite usar lenguaje caliente y emocionalmente cargado.

- **Mantenga un Registro Diario del Humor para entender mejor sus emociones.** Reconozca que los sentimientos de ansiedad y depresión casi siempre acompañan a los sentimientos de ira.

- **Practique primero visualizaciones mentales negativas, y luego practique visualizaciones positivas.** No obstante, el practicar sólo visualizaciones negativas es perjudicial y va a intensificar sus emociones malsanas.

- **Use auto-afirmaciones de afrontamiento** tales como: "Aunque esto no me guste, no hay inconveniente. Igual lo puedo soportar".

- **Use distracciones, diversiones, y entretenimientos** para ocuparse temporariamente en una actividad placentera.

- **Practique respiración profunda y relajación muscular progresiva cuando se sienta disgustado.**

A continuación se presentan los métodos principales para lograr un pensamiento racional y una vida exitosa. Estos métodos se han introducido en este capítulo y se describirán en detalle en el capítulo siguiente.

- **Detecte e identifique cuáles son sus creencias irracionales y conversaciones mentales** que son las principales responsables de su ansiedad, ira, y depresión.

- **Dispute y arranque sus pensamientos irracionales y conversaciones mentales** que causan principalmente su ansiedad, ira, y depresión. La próxima sección introduce la D de disputa, un método eficaz para manejar sus creencias irracionales y conversaciones mentales.

Detecte, Dispute y Arranque Sus Creencias Irracionales y Conversaciones Mentales

Detecte modos de identificar aquellas creencias irracionales y conversaciones mentales que están causando que se sienta disgustado. No obstante, no es suficiente detectar las creencias irracionales. También tendrá que cambiar estas creencias. *La discusión le da una herramienta efectiva para desafiar, despertar, y arrancar las creencias*

Disputa y la Perspectiva
del ABC de Nuestras Emociones

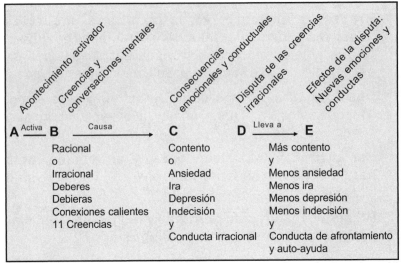

Ilustraciones como esta se repiten porque son importantes. Las 11 creencias irracionales se tratarán en el Capítulo Seis.

irracionales particulares que están causando su perturbación emocional. Disputar es discutir y debatir consigo mismo la veracidad y utilidad de sus viejas creencias irracionales y conversaciones mentales. Las creencias irracionales y conversaciones mentales refutadas pierden su control sobre sus emociones.

La discusión exitosa de sus creencias irracionales lo ayuda a construir nuevas creencias racionales que se relacionan con *nuevas Es de efectos (o sea, nuevas emociones y conductas).*

Para ejemplos cómo de Detectar y Disputa, vea la ilustración: "Furia en la ruta y el análisis del ABC de la ira". La gente se enoja fácilmente cuando maneja, especialmente cuando está apurada.

Nuestra conductora enojada está aprendiendo a disputa su ira. En la D ella discute las creencias irracionales que le causan ira. Dice: "*¡Un momento! Necesito recordar mis ABCs. No es la situación la que me disgusta, sino lo que me digo a mísma sobre la situación. El auto de adelante está*

Furia en la Ruta y Análisis del ABC de la Ira

A Acontecimiento activador

B Creencias y conversaciones mentales

Activa
Provoca

"*Ese auto de adelante está manejando muy despacio. ¡Y yo que estoy apurada!*"

Causan

"*¡Debiera ir más rápido! No-puedo-soportar el ir a esta velocidad, es horrible! ¡Que pedazo de !!#%@ es este tipo para frustrarme de esta manera! ¡Debiera salirse del camino!*"

C Consecuencias
emocionales y conductuales

D Disputa

"*¡Me he puesto furiosa! ¡Cualquiera se pondría furioso con semejante pedazo de !!#%@ Me está dando dolor de cabeza y de estómago! ¡Y todo por culpa suya!*"

"*¡Un momento! Tengo que recordar mi ABCs. No es la situación la que me disgusta, sino lo que yo creo y me digo a mí misma sobre esa situación. ¡Qué importa si estoy llegando tarde, puedo afrontarlo! El analizar mis conversaciones mentales me puede ayudar a manejar mis emociones.*"

manejando cerca de la velocidad límite y no está violando ninguna ley. Estoy llegando tarde y lo puedo soportar. El ir más despacio de lo que prefiero no es algo terrible y lo-puedo-soportar. El analizar lo que me digo a mí misma me puede ayudar a manejar mis emociones."

Nosotros, los seres humanos falibles tenemos un poder considerable para contrariarnos a nosotros mismos, como así también para provocar trastornos mentales. Lo hacemos al aceptar creencias irracionales, especialmente los tres deberes principales y las cinco conexiones calientes.

Luego de haber detectado primero las creencias irracionales y las conversaciones mentales que causan

Discutir Lleva a Efectos Positivos:
Nuevas Emociones y Conductas

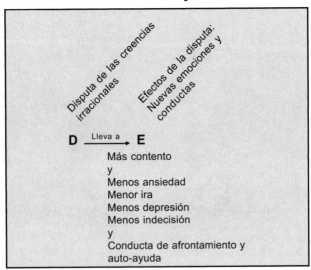

ansiedad, ira, o depresión, recién entonces tengo que discutirlas, que es el cuarto paso en el manejo de las emociones.

Use repetidamente la disputa para debatir, desafiar, y debilitar aquellas creencias irracionales y conversaciones mentales que causan angustia. Cuando usa con frecuencia y con éxito la D disputa, experimentará los efectos E - emociones y conductas nuevas y más positivas. La disputa eficaz lleva a emociones más saludables.

D Disputa nos permite tomar responsabilidad por el manejo de nuestra ansiedad, ira, y depresión en lugar de permitir que las situaciones desagradables y otra gente maneje nuestras emociones.

Este capítulo introdujo los métodos para detectar y disputar. El próximo capítulo describe y enseña métodos específicos para detectar, disputar, y arrancar aquellas creencias irracionales que nos están causando angustia. *El discutir eficazmente nuestras creencias irracionales y conversaciones mentales exige resolución y práctica.*

Lo Fundamental que Hay Que Recordar:

- Aunque no seamos los únicos responsables, somos nosotros los que principalmente causamos nuestras emociones.

- El conocer nuestras creencias irracionales y nuestras conversaciones mentales es esencial para manejar nuestras emociones y conductas.

- Fíjese una meta para usted mismo sobre los modos como le gustaría sentirse y actuar cuando encuentre gente o situaciones difíciles

- Evite edificar su vida basando sus emociones en *los tres deberes principales y las cinco conexiones calientes.*

- Reemplace sus exigencias de que las cosas *deban* (*tres deberes principales*) ser como usted quiere, con preferencias y deseos de que las cosas sean como usted quiere.

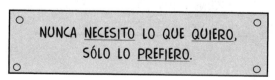

NUNCA NECESITO LO QUE QUIERO, SÓLO LO PREFIERO.

- Para resolver problemas prácticos, maneje primero su reacción emocional a esos problemas.

- Detecte y dispute sus creencias irracionales y conversaciones mentales que causan principalmente su ansiedad, ira, o depresión.

NUNCA NECESITO LO QUE QUIERO, SÓLO LO PREFIERO.

AUNQUE ESTO NO ME GUSTE, NO HAY INCONVENIENTE. IGUAL LO PUEDO SOPORTAR.

Capítulo 5

Cómo Arrancar Sus Creencias Irracionales y Sus Conversaciones Mentales

ARRANCANDO CREENCIAS IRRACIONALES

No es suficiente que identifique sus creencias irracionales. Además, usted necesita constante y enérgicamente disputarlas, arrancarlas y quitarlas.

Para poder manejar nuestras emociones necesitamos disputar y arrancar eficazmente nuestras creencias irracionales y conversaciones mentales. Este capítulo le da el conocimiento, las habilidades, y los métodos necesarios para disputar las creencias irracionales, que le permitirá lograr más éxito y felicidad. Usted aprenderá:

- cómo detectar e identificar creencias irracionales;

- cuatro estrategias para disputar y arrancar las creencias irracionales y conversaciones mentales;

- los efectos positivos del disputar (por ejemplo, mayor satisfacción y éxito en el logro de sus objetivos);

- cómo usar el Formulario de Auto-Análisis del ABCDE y la Auto-Superación para identificar y arrancar sus creencias irracionales;

- cómo mejorar la baja tolerancia a la frustración, que es una de las causas principales de la angustia emocional, del disgusto en las relaciones interpersonales y del fracaso en el logro de nuestros objetivos; y

- la diferencia entre pensamiento racional y pensamiento positivo.

LOS "TENGO-QUE" Y "DEBIERA" DERROTAN A ALEJO

Alejo, un estudiante universitario en su cuarto semestre de estudios con una historia de bajas calificaciones, quería desesperadamente un título universitario pero tenía un plan irracional para conseguirlo.

Mientras trabajaba de empleado en un kiosko desde la medianoche hasta las 8 de la mañana, Alejo cursaba todas las materias en la universidad. Su plan era de estudiar en el kiosko, no tenía tiempo para dormir, y no podía asistir a muchas de sus clases. ¡Alejo estaba agotado!

"Tengo que trabajar tiempo completo porque necesito el dinero, debo cursar todas las materias porque tengo que graduarme en cuatro años. Ya estoy atrasado en mis notas y créditos universitarios", explicaba Alejo. "Tengo que mostrarles a mis padres lo mucho que me estoy esforzando".

Alejo no se dejaba convencer de modificar su plan y al final del semestre la mayoría de sus calificaciones fueron "Ds". Los tengo-que; debo; y debiera y las creencias irracionales de Alejo contribuyeron a su bajas calificaciones. Las creencias irracionales y conversaciones mentales son las causas principales de la angustia emocional y del fracaso en el logro de nuestros objetivos.

Detecte primero sus creencias irracionales y conversaciones mentales para luego disputarlas. Fíjese en la D en el diagrama: "La disputa y la perspectiva del ABC de nuestras emociones". Practique el contestarle a las creencias irracionales y a las conversaciones mentales. ¿Qué le parece? ¡Continue leyendo!

Disputa y la Perspectiva del ABC de Nuestras Emociones

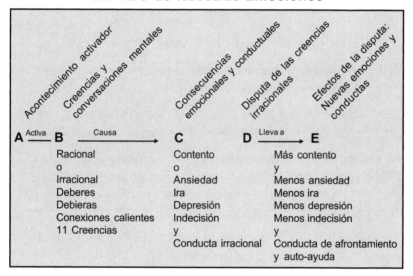

Detecte las Creencias Irracionales y Conversaciones Mentales

¿Cuál es la diferencia entre las creencias racionales e irracionales? Generalmente, las creencias y conversaciones mentales racionales tienden a la auto-ayuda, en cambio, las creencias y conversaciones mentales irracionales son contraproducentes. (Corey, 1996; Nottingham, 1994). "Racional, en la Terapia Racional Cognitiva y Conductual significa ayuda efectiva" (Ellis, 1994, p.25).

¿Cómo hacemos para detectar e identificar creencias y conversaciones irracionales? El mejor momento para detectar sus conversaciones irracionales es cuando se siente

Las Creencias y Conversaciones
Mentales Racionales Son:

- **Lógicas** - razonables, sensatas, y lógicas

- **Basadas en la realidad** - basadas en evidencia y observación reales

- **Utiles** - útiles, prácticas, y eficaces en el logro de objetivos

  y

- **Mejoran** el yo, los otros, y las relaciones

- **Ayudan** a las emociones, reduciendo la ansiedad, la ira, y la depresión

- **Basadas en preferencias y deseos** en vez de los tres deberes principales y debieras absolutos

- **No tienen *las cinco conexiones calientes*** (condena y maldición, no-lo-puedo-soportar-ismo, catastrofismo, no valgo nada, siempre o nunca)

ansioso, enojado, o deprimido por un problema. Cuando se sienta disgustado a causa de alguien o de una situación, aplique *La Perspectiva del ABC de Nuestras Emociones* al problema o situación que está experimentando. *Detecte sus creencias y conversaciones mentales irracionales cuando esté disgustado.*

Comience con *el Formulario del ABCDE Auto-análisis y Mejoramiento* que se presenta más adelante en este capítulo. Complete los pasos en el orden de A, C, y B para que pueda identificar las conversaciones mentales que lo están perturbando. Primero determine lo que usted cree ha sido el acontecimiento activador (A). Recuerde que el acontecimiento activador puede ser real o lo que usted está fantaseando sobre un acontecimiento posible.

Segundo, escriba las emociones desagradables que está sintiendo y cualquier conducta contraproducente, incluyendo lo que usted hace o dice a otros (C). Las emociones desagradables incluyen ansiedad, ira, y depresión. Las consecuencias conductuales desagradables pueden incluir: comer en exceso, abusar de drogas, explotar en el trabajo o en casa, y otras conductas contraproducentes.

Tercero, escuche atentamente sus conversaciones mentales (B). Escriba en el formulario las que usted sospecha son sus creencias y conversaciones mentales irracionales. Por lo general, sus creencias irracionales serán exigencias absolutas que usted está poniendo sobre usted mismo, sobre los demás, o sobre el mundo. Sus creencias irracionales serán también las conexiones calientes. Va a tener que esforzarse en detectar sus creencias irracionales.

Hágase las siguientes preguntas que lo ayudarán a identificar y detectar sus creencias y conversaciones mentales irracionales:

Preguntas para Detectar Creencias y Conversaciones Mentales Irracionales

- *¿Qué estoy diciéndome a mí mismo sobre mí mismo?*

- *¿Qué estoy diciéndome a mí mismo sobre los demás?*

- *¿Qué estoy diciéndome a mí mismo sobre una situación o evento desagradables?**

- *¿Estoy usando los tres deberes principales o los debieras absolutos? (¡Yo debo, el, ella, o tú debes, el mundo y las condiciones en las que vivo deben!)*

- *¿Estoy usando las cinco conexiones calientes? (catastrofismo, no-lo-puedo-soportar-ismo, condena y maldición, no valgo nada, siempre o nunca)*

Visite nuestro sitio de internet. Puede bajar copias gratis de los materiales de SOS en <**www.sosprograms.com**>

- *¿Qué me digo a mí mismo?*

- *¿Cuáles son mis pensamientos?*

- *¿Qué es lo que está pasando por mi mente ahora mismo?*

- *¿Qué es lo que esta situación dice sobre mi futuro?*

- *¿Qué es lo que esta situación dice sobre mi educación (mi matrimonio, mis hijos, mi trabajo, o mi status?*

- *¿Por qué me deprimo ante el simple pensamiento de asistir a ese evento la semana próxima?*

- *¿Qué es lo que pasaba por mi mente cuando experimenté esa mala situación?*

- *¿De qué me estoy preocupando?*

- *¿Por qué me estoy poniendo ansioso (enojado o deprimido)?*

- *¿Cuáles son las tres cosas que me estoy diciendo a mí mismo que me están disgustando?*

- *¿Estoy intensificando mis deseos y preferencias en exigencias absolutas?*

- *¿Estoy exigiendo que el mundo sea fácil?*

- *¿Estoy exigiendo que el mundo cambie para que se ajuste a mis necesidades o para que sea un lugar fácil donde vivir?*

- *¿Estoy exigiendo que se me conceda exactamente lo que yo quiero cuando yo quiero?*

Los tres deberes principales, los debieras absolutos, y *las cinco conexiones calientes* son las tres guías más prometedoras para detectar sus creencias y conversaciones mentales irracionales.

LOS EVENTOS Y SITUACIONES DESAGRADABLES ACTIVAN LAS CREENCIAS Y CONVERSACIONES MENTALES IRRACIONALES.

Disputar y Arrancar las Creencias y Conversaciones Mentales Irracionales

Luego de identificar sus creencias irracionales y conversaciones mentales, su meta es discutirlas, desafiarlas, arrancarlas, y contestarlas enérgicamente. Reemplace las viejas creencias irracionales y conversaciones mentales con creencias racionales que conducen al éxito y disminuyen la ansiedad, ira, y depresión.

Disputar Tiene Efectos Positivos: Nuevas Emociones y Conductas

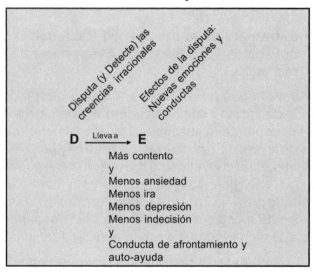

Dado que los acontecimientos pasados o anticipados activan las creencias irracionales y las conversaciones mentales, el momento oportuno para discutirlas es cuando usted está disgustado a causa de esos eventos desagradables.

Los terapeutas le enseñan a sus pacientes cuatro estrategias básicas para disputar y desafiar las creencias irracionales (Beal, Kopec, y DiGiuseppe, 1996). ¡Utilice estas estrategias para disputar sus creencias irracionales!

Cuatro Estrategias para Disputar y Arrancar Creencias y Conversaciones Mentales Irracionales

- **Estrategia Lógica:** ¿Son las creencias y conversaciones mentales razonables, sensatas, y lógicas?

- **Estrategia Basada en la Realidad:** ¿Están estas creencias y conversaciones mentales basadas en evidencias y observaciones reales?*

- **Estrategia de Utilidad:** ¿Son estas creencias y conversaciones mentales útiles, y prácticas en el logro de las metas?

- **Estrategia de la Alternativa Racional:** ¿Existen creencias y conversaciones mentales más racionales?

Su meta es *convencerse enérgica y profundamente* de que sus creencias y conversaciones mentales irracionales que particularmente lo disgustan *no son lógicas, no están basadas en la realidad, no son útiles*, y que hay *una alternativa más racional*. Para convencerse a sí mismo tiene que entablar un diálogo enérgico con usted mismo y contestar sus conversaciones mentales irracionales. Desafíese vigorosamente a usted mismo, dispute silenciosamente o en voz alta, cuestione o desafíe sus creencias irracionales.

¿Cuánto debe durar esta discusión enérgica? Por lo general, de cinco a diez minutos no es suficiente tiempo. Después de que usted detecta una creencias irracional, pídale a su lado racional que la desafíe. Continúe la discusión con sus lados racional e irracional tomando turnos. Cuanto más resistentes sean sus creencias irracionales, más frecuentemente tendrá usted que entablar estas discusiones. *Continúe desafiando una creencia irracional hasta que no crea más en ella.*

Lenguaje técnico: La Estrategia de Disputar Basada en la Realidad se describe también de manera empírica y científica. Una Estrategia de Disputa eficaz se describe también como pragmática y funcional.

Arranque enérgicamente esas creencias irracionales y conversaciones mentales que hacen que usted se sienta ansioso, enojado, o deprimido. Recuérdese que usted está progresando al reconcocer que *sus creencias sobre los acontecimientos desagradables* son la causa principal de sus emociones malsanas.

Desafíe amenudo *los tres deberes principales* y *las cinco conexiones calientes* ya que ellos son los responsables de la mayoría de nuestra angustia emocional. Use la siguiente *declaración de desafío* para <u>arrancar</u> sus creencias irracionales.

> CUANDO ESTÉ DISGUSTADO, BUSQUE EL DEBO,
> BUSQUE EL DEBIERA.

Declaraciones y Preguntas de Disputa para <u>Arrancar</u> las Creencias y las Conversaciones Mentales Irracionales

• **Preguntas de Disputa "Lógicas":** ¿Son mis creencias y conversaciones mentales sobre esta situación razonables, sensatas, y lógicas?

¿Es esa conversación mental razonable y lógica?

¿Si esas mismas creencias las tuviera otra persona, me parecerían razonables?

¿Dónde está escrito que estas creencias y afirmaciones tienen sentido?

¿Una persona razonable y lógica sostendría la mismas creencias?

¿Es razonable pensar que tal y tal cosa siempre serán de esa manera y nunca cambiarán?

¿Es lógico pensar que yo u otra persona somos un "fracaso total" porque fracasamos en una relación?

• Preguntas de Disputa Basadas en la Realidad:
¿Son mis creencias y conversaciones mentales sobre el acontecimiento basadas en observaciones y evidencia reales?

¿Dónde está la evidencia que apoya la veracidad de esta creencia o conversación mental?

¿Dónde está la prueba de esta creencia?

¿Dónde está escrito que yo debo absolutamente conseguir lo que yo quiero?

¿Por qué debe ella comportarse exactamente de la manera en que yo quiero que se comporte?

¿Por qué debo yo hacer esto y aquello, dónde está la evidencia que me indica que yo debo hacer esto y aquello?

¿Qué es lo que me hace ser tan especial que mi vida deba ser tan fácil o que yo deba conseguir lo que yo quiero cuando yo lo quiero?

¿Es ese problema realmente "horrible" o más de 100% malo? ¿Es esto peor de lo que yo puedo imaginar?

¿Dónde está la evidencia de que "no puedo soportar" la situación (de que no puedo sobrevivir o continuar viviendo físicamente en semejante situación?

¿Dónde está la evidencia de que yo soy 100% despreciable, de que no tengo ninguna cualidad positiva?

He vivido sin esta persona en el pasado. ¿Hay alguna razón para que yo no pueda vivir sin esta persona ahora?

¿Dónde está la prueba o evidencia de que fallé en una relación y por eso nunca más tendré una relación exitosa?

RESPONDA A SUS CONVERSACIONES MENTALES
IRRACIONALES Y CONTRAPRODUCENTES.

• **Preguntas de Disputa "Utiles":** ¿Son útiles mis creencias y conversaciones mentales sobre el incidente o situación, me ayudan a lograr mis metas?

El creer en tal idea ¿me ayuda con mi depresión (culpa, miedo, ansiedad, ira)?

¿Me ayudan estas conversaciones mentales a hacer mejor mi trabajo o disfrutarlo más?

¿El creer en que "la vida debe ser fácil y sino, no-lo-puedo-soportar" me ayuda a lograr mis metas?

¿De qué manera me atrapa este modo de pensar?

¿Estos pensamientos me ayudan o me perjudican en el logro de mis metas?

¿El creer que mi esposa/o debe hacer exactamente esto y aquello me ayuda en mi relación con ella/él?

¿De qué me sirve el insistir en que mi jefe se comporte de manera diferente y si no lo hace, debiera ser maldecido o condenado?

¿Me ayuda el mantener una ira y resentimiento continuos sobre el modo en que me trataron?

¿El mantener semejante idea me ayuda a funcionar más efectivamente?

¿El creer que mi maestro es totalmente irracional y una mala personal me ayuda a estudiar más o sacar más de mis clases?

¿El insultar al conductor de adelante ayuda a que el tráfico sea más fluído? ¿Ayuda a mi presión arterial?

¿La creencia en que "Porque fracasé en una relación importante, soy un fracaso total, despreciable y malo" a dónde me lleva en futura relaciones?

PARA RECTIFICAR SUS EMOTIONES, RECTIFIQUE PRIMERO SUS CREENCIAS IRRACIONALES Y CONVESACIONES MENTALES.

• **Preguntas de Disputa de "Alternativa Racional":**
¿Hay alternativas más racionales a estas creencias y conversaciones mentales?

> *¿Acaso el desear y preferir que mis familiares políticos no nos visiten me ayuda más que el exigir absolutamente que no vengan y si lo hacen no-lo-puedo-soportar?*
>
> *¿El creer que soy una persona con algunas fallas me ayuda más a sentirme menos tenso en la fiesta de la semana próxima que el creer que soy despreciable?*
>
> *¿El estar más calmado en el trabajo me ayuda a hacer mi trabajo mejor que el sentirme frecuentemente enojado?*
>
> *¿Acaso el preferir que consiga lo que quiero en lugar de exigir absolutamente lo que quiero me pondría menos disgustado"?*
>
> *¿El creer que soy una personal con virtudes y debilidades me ayudaría a relacionarme mejor con los demás que si creyera que "soy un fracaso total, despreciable y malo"?*

Efectos de la Disputa:
Nuevas Emociones y Conductas

El disputar y el arrancar eficazmente sus creencias irracionales y conversaciones mentales reducen enormemente sus emociones desagradables de ansiedad, ira, y depresión. Las creencias racionales traen emociones más sanas, más satisfacción, mejor afrontamiento, y una mayor habilidad para lograr sus objetivos.

QUÉ ME DIGO A MÍ MISMO:

SOBRE MÍ MISMO,

SOBRE LOS DEMÁS,

SOBRE UNA SITUACIÓN DESAGRADABLE

Disputar Tiene Efectos Positivos:
Nuevas Emociones y Conductas

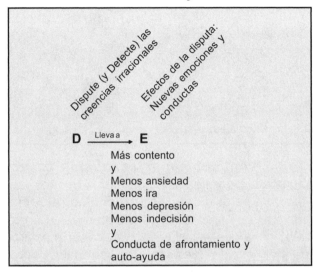

Las creencias racionales y conductas de auto-ayuda nos permiten fijar y obtener nuestras metas. Aliviado de sus creencias irracionales y emociones malsanas, usted tendrá la energía emocional para invertir en relaciones, tanto personales como en la escuela o el trabajo. Las creencias y conductas racionales aumentarán su sentimiento de felicidad y disminuirá los niveles de estrés perjudicial para la salud. El pensamiento racional le permite pasar menos tiempo luchando con sus emociones y más tiempo resolviendo problemas prácticos.

Para aprender el SOS, usted tendrá que practicar sus métodos. Ponga a un lado el libro de SOS, tome un lápiz y papel y repita "La Disputa y la Perspectiva del ABC de Nuestras Emociones" de memoria. Comience por escribir ABCDE con amplios espacios entre las letras.

Como ya se dijo anteriormente, nuestras creencias racionales e irracionales comienzan en la infancia. Después de que una persona acepta creencias irracionales de los demás (por ejemplo los padres) o crea sus propias, *tiende a*

Disputa y la Perspectiva del ABC de Nuestras Emociones: Ilustración simplificada

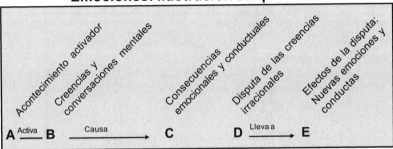

adoctrinarse continuamente con estas creencias y *conversaciones mentales irracionales.* Lo hace al repetir constantemente estas creencias irracionales y al comportarse de acuerdo a ellas. Al repetirse constantemente las creencias irracionales, las raíces se fortalecen y se hacen más profundas. Luego de haber sido creadas, las creencias irracionales permancen en nuestra conciencia y en nuestro inconsciente a menos que se las desafíe y modifique activamente.

Usted tendrá que continuar detectando, disputando, y arrancando las creencias y conversaciones mentales irracionales por el resto de su vida, para lograr vivir satisfactoria y exitosamente. Va a necesitar hacer esto de manera particular durante períodos de estrés y cuando se sienta ansioso, enojado, y deprimido.

Solamente el comprender que usted se está adoctrinando con creencias irracionales es de gran ayuda, pero es insuficiente para el cambio emocional. Una convicción débil de que sus creencias problemáticas son irracionales no es suficiente. *Profundice su convicción* de que sus creencias problemáticas son irracionales al detectarlas y disputarlas activamente.

> EL CAMINO DE LOS FRACASOS CONSTANTES ESTÁ PLAGADO DE CREENCIAS Y CONVERSACIONES MENTALES IRRACIONALES.

María Maneja la Ansiedad con los ABCs

A Acontecimiento activador   **B** Creencias y conversaciones mentales

"*Mañana por la mañana es mi turno de dar una charla en clase*". (Lo acontecimientos activadores pueden ser acontecimientos anticipados)

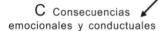

C Consecuencias emocionales y conductuales

"*Tengo que hacerlo bien o me sentiré humillada y despreciable. No-puedo-soportar que me observen tan atentamente. ¿Por qué la escuela tiene que ser tan difícil? Nunca voy a ser buena para hablar en público.*"

D Disputa

"*Mi corazón está palpitando más rápido; mis manos están comenzando a temblar; estoy empezando a sentirme enferma del estómago con sólo pensar en esta charla insoportable.*"

"*Mi auto-exigencia de que debo hacerlo bien me está poniendo muy ansiosa. Aunque no me guste, puedo soportar que otros me evalúen. Si mi charla no es muy buena, puedo soportarlo. Además mi profesora ha dicho que estoy mejorando.*"

El Formulario de Auto-análisis
del ABCDE de María

Fecha: *8-11-___*

A Acontecimiento Activador (Situación o evento desagradables; pueden ser eventos anticipados):

Mañana a la mañana es mi turno para dar una charla de cinco minutos en clase.

B Creencias y Conversaciones Mentales (Sus creencias y conversaciones mentales irracionales, especialmente sus debo, debieras absolutos, y las cinco conexiones calientes):

Tengo que hacerlo bien o me sentiré humillada y despreciable. No-puedo-soportar que me observen tan atentamente. ¿Por qué la escuela tiene que ser tan difícil? Nunca voy a ser buena para hablar en público.

C Consecuencias Emocionales y Conductuales (Sus emociones desagradables y conductas inadaptadas):

Emociones:
Mi corazón está palpitando más rápido; mis manos están comenzando a temblar; estoy empezando a sentirme enferma del estómago con sólo pensar en esta charla insoportable.

Conducta (o conducta contemplada):
Evitar preparar la charla.

D Disputa y Debate (Disputar sus creencias irracionales y conversaciones mentales, especialmente sus deberes, debieras absolutos, y las cinco conexiones calientes):

Mi auto-exigencia de que debo hacerlo bien me está poniendo muy ansiosa. Aunque no me guste, puedo soportar que otros me evalúen.

E Efectos (Efectos del disputar: Nuevas emociones y conductas):

Si mi charla no es muy buena, puedo soportarlo (María ha reducido su ansiedad e incrementado la aceptación de sí misma. La reducción de la ansiedad lleva una mejor actuación).

Análisis de los ABCDEs de María

A Aconctecimiento Activador: María está pensando en los cinco minutos de charla que tiene que dar en la clase de mañana.

B Creencias y Conversaciones Mentales: Las conversaciones mentales de María contienen uno de los deberes principales, "Tengo que hacerlo bien..." Ella también se pregunta:"¿Por qué la escuela tiene que ser tan difícil? Esta pregunta es en realidad una exigencia de que la escuela sea fácil. Ella está requiriendo que la escuela, el mundo, y las condiciones en las que ella vive sean fáciles, comprensivas, que no sean sentenciosas o críticas.

¿Y qué es de las conexiones calientes? María está usando tres conexiones: No valgo nada, no-lo-puedo-soportar, y siempre o nunca.

C Consecuencias Emocionales y Conductuales: Las conversaciones mentales de María están haciendo que se sienta ansiosa, tensa, preocupada, amenazada, y que dude de sí misma. Ella presenta síntomas físicos de ansiedad tales como el pulso acelerado, temblores leves, y náusea. Además de sentirse muy ansiosa ella está posponiendo y evitando trabajar en su charla.

D Disputar: María está aprendiendo a disputar y arrancar sus creencias irracionales y conversaciones mentales. En lugar de seguir creyendo : "*No-puedo-soportar que me observen tan atentamente*", ella se dice: "*Aunque no me guste, puedo soportar que otros me evalúen*". En lugar de creer: "*Tengo que hacerlo bien*", ella se dice: "*Si mi charla no es tan buena, lo puedo soportar*". En lugar de creer: "*Nunca voy a ser buena para hablar en público*", ella se dice: "*Mi profesora dice que estoy mejorando*".

María está aprendiendo que sus creencias y conversaciones mentales son las que fundamentalmente causan su ansiedad: "*Mi auto-exigencia de que debo hacerlo bien me está poniendo muy ansiosa*". Lo que María piensa y se dice a sí misma sobre su charla puede crear más amenaza y ansiedad que la charla misma.

E Efectos de la Disputa: Nuevas Emociones y Conductas. Como resultado de discutir sus creencias irracionales, María se siente menos ansiosa, menos atemorizada, y más en control de sus emociones. Se dice: "*Si mi charla no es muy buena, puedo soportarlo*". Está aprendiendo a aceptarse a sí misma y a sentirse menos vulnerable ante la evaluación y la crítica de los demás.

"*Un poco de ansiedad ayuda a la concentración, pero demasiada, la paraliza*", dice un proverbio Chino.* Al manejar su nivel de ansiedad, María sin duda alguna pensará con más claridad y dará una charla mejor.

María necesita continuar desafiando sus creencias irracionales y manejando sus emociones, especialmente la ansiedad. Si no lo hace puede llegar a desarrollar un trastorno de ansiedad, tal como una *Fobia Social (Trastorno de Ansiedad Social)*. Los trastornos de ansiedad se tratan en el Capítulo Siete.

Cuando se sienta especialmente ansioso, enojado, o deprimido, complete el "Formulario de Auto-análisis y Mejoramiento del ABCDE", como lo hizo María.

Primero ingrese lo que usted piensa es su A Acontecimiento Activador. Segundo, escriba en su C Consecuencias: emociones y conductas.

Tercero, escuche atentamente sus B Creencias Irracionales y Conversaciones Mentales. Fíjese especialmente de qué manera está usando sus tres deberes principales y sus cinco conexiones calientes (no-lo-puedo-soportar-ismo, etc.). Para acordarse de las cinco conexiones calientes recuerde "CNC, NS" descriptos en el Capítulo Dos. Revise también las 11 creencias irracionales más comunes que se presentan en el Capítulo Seis. El detectar sus B de creencias es la parte más difícil de su análisis.

Cuarto, D Dispute y desafíe sus creencias irracionales y conversaciones mentales usando los métodos explicados en este capítulo.

---

* Tao He, uno de mis estudiantes de China me contó este proverbio.

Finalmente, escriba sus E Efectos de la disputa: nuevas emociones y conductas.

Continúe detectando sus creencias y conversaciones irracionales y arrancando aquellas creencias y conversaciones mentales que le están causando angustia. Use el *Formulario de Auto-análisis y Mejoramiento del ABCDE* cada vez que se sienta angustiado.

Fijémonos en la frustración, en la tolerancia a la frustración, en la baja tolerancia a la frustración (BFT), y como se relacionan con la angustia emocional.

El Formulario de Auto-análisis y Mejoramiento del ABCDE

Fecha:_____

A   Acontecimiento Activador (Situación o evento desagradables; pueden ser eventos anticipados):

B   Creencias y Conversaciones Mentales (Sus creencias y conversaciones mentales irracionales, especialmente sus debo, debieras absolutos, y las cinco conexiones calientes):

C   Consecuencias Emocionales y Conductuales (Sus emociones desagradables y conductas inadaptadas):

Emociones:

Conducta (o conducta contemplada):

D   Disputa y Debate (Disputar sus creencias irracionales y conversaciones mentales, especialmente sus deberes, debieras absolutos, y las cinco conexiones calientes):

E   Efectos (Efectos del discutir: Nuevas emociones y conductas):

Copie este formulario. Complete los pasos en este orden: A, C, B, D, y E. Cuando esté disgustado, siga los métodos de auto-ayuda de los Capítulos 4 y 5. Cuando complete la B, busque sus deberes, debieras absolutos, y cinco conexiones calientes. Fíjese si usted está también creyendo cualquiera de las 11 creencias irracionales que se describen en el Capítulo Seis.

Baja Tolerancia a la Frustración (BTF)

NO A LA BAJA TOLERANCIA A LA FRUSTRACIÓN

La baja tolerancia a la frustración es causada por las creencias irracionales: "*El mundo debe ser fácil*".

Para aumentar su capacidad de tolerar la frustración repita el jingle de afrontamiento: "*Aunque esto no me guste, no hay inconveniente, lo puedo soportar. Aunque esto no me guste, no hay inconveniente, lo puedo soportar*".

La frustración "es no conseguir lo que uno quiere" (Albert Ellis, audio). Es tener sus deseos, esfuerzos y planes bloqueados. *Tolerancia a la frustración es la cantidad de desasosiego que usted cree que puede tolerar.*

Baja tolerancia a la frustración (BTF) es creer que el mundo es demasiado duro y decirse a sí mismo "No puedo soportar que sea tan duro". Frustración es, por ejemplo, lanzar su pelota de golf en el rough. *Baja tolerancia a la frustración es lanzar su pelota de golf en el rough y decirse a sí mismo: "No debo tener un mal drive y como tengo un drive pobre, estos palos de golf son horribles y no-lo-puedo-soportar. Nunca voy a ser bueno en este deporte".*

Aplique la perspectiva del ABC de Nuestras Emociones para comprender su baja tolerancia a la frustración y su angustia. El lanzar la pelota del golf en el rough es el acontecimiento activador. Sus creencias irracionales y

---

Una interesante discusión sobre BTF se puede encontrar en *Venciendo la Baja Tolerancia a la Frustración* de Albert Ellis. Esta cinta se puede conseguir a través de Instituto Albert Ellis para la Terapia Racional Emotiva y Conductual

conversaciones mentales son: "*No tengo que tener un mal drive y como mi drive es pobre, estos palos de golf son horribles y no-lo-puedo-soportar, nunca seré bueno en este deporte*". Las consecuencias tanto emocionales como conductuales incluyen enojarse con los palos de golf, perturbarse emocionalmente, y tal vez el jugar mal en los próximos hoyos porque está disgustado. Recuerde, es usted el que principalmente causa sus emociones. Evite echarle la culpa a los acontecimientos activadores como la sola causa de su angustia.

Mientras que la frustración es algo normal en la vida, BTF es la principal causa de angustia, infelicidad, indecisión, y un desempeño pobre. Para reducir la BTF trabaje en aumentar su tolerancia y capacidad para soportar la frustración sin alterarse emocionalemente. No espere liberarse completamente de la frustración porque los acontecimientos frustrantes siempre ocurrirán, y un efecto positivo de la frustración es que la gente aprende a reducir y a mejorar los acontecimientos detestables.

Una meta racional es mejorar su tolerancia a la frustración (algo que está dentro nuestro) en lugar de esperar librarse de la frustración (aquello del mundo exterior que está frustrando nuestros deseos). Detecte y dispute las creencias irracionales y las conversaciones mentales que están causando la baja tolerancia a la frustración.

Hay gente que cree equivocadamente que puede reducir los sentimientos fuertes de frustración dando rienda suelta a su ira. El ponerse furioso y detestable cuando está frustrado en realidad aumenta la posibilidad de que usted reaccione de la misma manera en el futuro. La ira y la poca habilidad para tolerar la frustración reducen nuestra capacidad para resolver problemas e impiden nuestro buen desempeño. El ponerse furioso y destestable crea estrés en los demás, con frecuencia perjudica relaciones importantes, y puede hacer que los otros nos guarden rencor. Mejore su tolerancia a la frustración y reduzca su angustia al ajustar sus conversaciones mentales. Vea la ilustración "Cómo subir su Baja Tolerancia a la Frustración":

Cómo Subir su Baja Tolerancia a la Frustración

Las Creencias Irracionales que Causan BTF	Creencias Racionales que Ayudan a su BTF
¡Es horrible!	*Es inconveniente.*
Es demasiado duro.	*Es duro. Es dificultoso.*
No debiera ser demasiado duro.	*Es duro, y así es.*
No debiera ser así de duro.	*No hay evidencia de que tenga que ser más fácil.*
Nada debiera ser tan duro.	*¿Por qué la realidad tiene que ser fácil?*
Cuando fracaso, el mundo es injusto y un lugar espantoso para vivir.	*Cuando fracaso, el mundo es como es. Voy a mejorar la próxima vez.*
¡No puedo soportar la frustración!	*No me gusta la frustración pero la puedo soportar.*
Las dificultades y complicaciones son horribles, terribles, espantosas (HTE).	*Las dificultades y complicaciones son inconvenientes y desagradables.*

> o   PÓNGASE EN CONTACTO CON SUS SENTIMIENTOS. Y   o
> PÓNGASE EN CONTACTO CON SUS CONVERSACIONES
> MENTALES, PORQUE SON LAS QUE PRINCIPALMENTE
> o   DETERMINAN SUS SENTIMIENTOS.   o

No-lo-puedo-soportar-ismo en las conversaciones mentales es la causa principal de la BTF. Si usted repite *lo-puedo-soportar* con bastante frecuencia, va a terminar creyendo que es un hecho científico. Cuando se sienta frustrado utilice afirmaciones de afrontamiento tales como: "*Aunque esto no me guste pero lo puedo soportar*", o "*Puedo soportar cosas que no me gustan*". Recuerde también el jingle: "*Aunque esto no me guste, no hay inconveniente, igual lo puedo soportar*".

La causa principal de la BTF es el no-lo-puedo-soportar-ismo y la cura es lo-puedo-soportar.

AFRONTAR LA FRUSTRACIÓN SUBIENDO LA TOLERANCIA A LA FRUSTRACIÓN

"*Aunque esto no me guste, no hay inconveniente, igual lo puedo soportar*"...

"*Aunque esto no me guste, no hay inconveniente, igual lo puedo soportar*"...

"*Aunque esto no me guste, no hay inconveniente, igual lo puedo soportar*"...

No siempre podemos controlar las situaciones frustrantes pero podemos controlar nuestra reacción a ellas. Este hombre desventurado está usando conversaciones mentales de afrontamiento para controlar su frustración.

Lamentablemente, hay gente que carga con mucha frustración, es decir, no tiene lo que quiere. "Cuanto más desafortunado es usted... más frustrado está (por los economistas, los políticos, etc.), y más tiene que trabajar en su tolerancia a la frustración" (Ellis, audio). Cuanto más frustración siente por experiencias injustas, acontecimientos y gente desagradables, más se beneficiará usted de SOS.

> CUANTO MÁS FRUSTRADO ESTÉ,
> POR LA GENTE Y LOS ACONTECIMIENTOS INJUSTOS,
> MÁS NECESITA USTED MEJORAR SU HABILIDAD PARA
> TOLERAR LA FRUSTRACIÓN. ESTO ES PARTICULARMENTE
> CIERTO EN TIEMPOS DE CRISIS.

Luego de pensarlo considerablemente puede ser que usted decida tomar acciones extremas para corregir la mala situación. Usted puede actuar de manera más efectiva y mesurada si primero maneja sus conversaciones mentales, sus sentimientos, y su capacidad para tolerar la frustración.

Pensamiento Positivo

El pensamiento racional es diferente del pensamiento positivo. *El pensamiento positivo es esperar confiadamente que haya un resultado positivo a los problemas y acontecimientos de la vida, creyendo que la situación va a mejorar.*

El pensamiento racional es mantener una perspectiva realista y positiva sobre los acontecimientos, protegiéndonos de nuestras creencias irracionales que sabotean nuestras metas y ayudándonos efectivamente a adaptarnos a los acontecimientos aunque se vuelvan desagradables o adversos. Dicho de una manera más simple, el pensamiento positivo es creer que los acontecimientos van a mejorar. Y pensamiento racional es ayudarnos a nosotros mismos a estar razonablemente bien adaptados aún si esos acontecimientos no mejoran.

El Pensamiento Racional es Más que el Pensamiento Positivo

Pensamiento Positivo	Pensamiento Racional
1. Voy a mantener mi trabajo.	1. No creo que pierda mi trabajo, pero si lo pierdo, lo puedo soportar. Voy a tratar de conseguir otro.
2. Mi relación con este hombre maravilloso con el que estoy saliendo continuará. Las cosas van a funcionar.	2. Si mi relación se termina con este hombre maravilloso con el que estoy saliendo, será lamentable, pero no terrible. Voy a poder comenzar otra relación significativa.
3. Mi hijo va a comportarse cuando vayamos de compras esta tarde y los demás van a ver lo bien que se comporta.	3. Mi hijo probablemente se comportará cuando salgamos de compras esta tarde. Si no se comporta, eso no quiere decir que sea un mocoso o yo una mala madre.

ROCIADA CON GAS LACRIMÓGENO

Una de mis estudiantes universitarias se fue a un extremo para encontrar algo positivo en una situación desagradable. Su hermanito travieso la roció con gas lacrimógeno en la cara. Me explicó: "*Ultimamente he estado con las fosas nasales tapadas. El que me rociaran con ese gas lacrimógeno realmente limpió mis fosas nasales. ¡Desde entonces no he tenido más problemas!*"

LE CAYÓ UN RAYO Y SOBREVIVIÓ

Una señora que sobrevivió el golpe de un rayo dijo que se sentía afortunada porque la golpeó un rayo y sobrevivió. Un hombre que también sobrevivió al golpe de un rayo se sintió desafortunado porque el rayo lo golpeó.

Cómo se siente sobre los acontecimientos depende sobre todo de lo que usted cree y se dice a sí mismo sobre esos acontecimientos.

DETECTE SUS CREENCIAS IRRACIONALES Y CONVERSACIONES MENTALES CUANDO ESTÉ DISGUSTADO.

¿Qué sistema de creencias, *Creencias Racionales* o *Creencias Irracionales*, desearía que su hijo u otra persona que usted ama tuviera? ¿En qué sistema quiere depender durante los tiempos tormentosos de su vida?

CREENCIAS RACIONALES

"Soy el principal responsable de mis sentimientos de felicidad o infelicidad tanto como del éxito en el logro de mis metas. La vida está llena de belleza y placer pero a veces la vida es sombría y deprimente".

"Voy a aspirar a conocer la diferencia entre lo que puedo cambiar y lo que no puedo cambiar. Voy a empeñarme en cambiar aquello que puedo. Cuando me sienta persistentemente ansioso, enojado, o deprimido voy a trabajar en aceptar y reconciliarme con lo que no puedo cambiar. Aún cuando las realidades de la vida sean sombrías y deprimentes, voy a hacer lo mejor posible para adaptarme y vivir con calma".

CREENCIAS IRRACIONALES PERJUDICIALES

"Los demás y los acontecimientos (incluyendo los de mi vida temprana) son las principales causas de mis sentimientos presentes. Los acontecimientos agradables y la gente que me apoya son los que causan mi felicidad y mi éxito en el logro de mis objetivos".

"Cuando ocurren acontecimientos sombríos no puedo evitar sentirme abatido. Tengo poca habilidad para controlar mis emociones y mi conducta. Cuando me siento constantemente ansioso, enojado, o deprimido, me echo la culpa a mí mismo, a los demás o al mundo. Exijo un mundo fácil y acontecimientos agradables para poder adaptarme y vivir mi vida con calma".

DISPUTE SUS CREENCIAS IRRACIONALES HASTA QUE NO CREA MÁS EN ELLAS.

LA FELICIDAD NO DEPENDE EN LO QUE USTED ES O LO QUE USTED TIENE; DEPENDE EXCLUSIVAMENTE EN LO QUE USTED PIENSA.*

* Dale Carnegie

Mucha gente, incluyendo los terapeutas, se inspiran en *la Plegaria por la Serenidad* para tratar de cambiar las cosas malas y aceptar las cosas que no se pueden cambiar.

> SEÑOR CONCÉDEME
> SERENIDAD PARA ACEPTAR AQUELLO QUE NO PUEDO
> CAMBIAR, VALOR PARA CAMBIAR AQUELLO QUE
> PUEDO, Y SABIDURÍA PARA
> RECONOCER LA DIFERENCIA*

* La Plegaria por la Serenidad fue probablemente escrita por Reinhold Niebuhr. Algunos dicen que la escribió San Francisco de Asís.

> Concédeme serenidad *(calma)* para aceptar
> *(para tolerar sin exigir que no deba ser)* las cosas
> *(mis problemas prácticos, las adversidades, y los problemas emocionales)* que no puedo cambiar, valor *(determinación)* para cambiar las cosas
> *(mis problemas prácticos, adversidades, y problemas emocionales)* que puedo y sabiduría para reconocer la diferencia.*

* La Plegaria de la Serenidad con la interpretación de la Terapia Racional Emotiva y Conductual de Lynn Clark.

La terapia por lo general ayuda al cambio personal, a lograr un cambio más rápidamente, y a determinar qué es lo que no podemos cambiar. Algunos problemas y trastornos emocionales son resistentes al cambio.

Consejo para los Terapeutas

* *"Acepten el mundo como es sin exigir que sea de una manera determinada; juzgándolo catastrófico cuando no lo es. Esfuércense en aceptar la realidad sin ser pasivos, aprobando o resignándose a los aspectos del mundo que no les agradan".* (Dreyden y Neeman, p. 52, 1994).

* *"Es usted quien generalmente, aunque no completamente, crea sus trastornos [contra-producentes] y es usted también quien tiene la habilidad de minimizarlos y realizarse a sí mismo. Use esa habilidad".* (Ellis en Weinrach, 1996).

* *"Minimice sus exigencias [los tres deberes principales] y el catrastofismo, eleve su tolerancia a la frustración, y acéptese a sí mismo y a los demás como seres humanos falibles".* (Dryden en Weinrach, 1996).

* *"Tenga valor de cambiar las cosas que puede cambiar, acepte con calma lo que no puede cambiar, y tenga la sabiduría para reconocer la diferencia"* (Bernard en Weinrach, 1996).

El Capítulo 11, Más Métodos para Ayudarnos a Nosotros Mismos, presenta sugerencias para personas que buscan ayuda profesional. El capítulo explica también cómo la medicación puede ser beneficiosa combinada con la terapia.

Con su propio esfuerzo, SOS le enseñará métodos para adquirir creencias racionales efectivas y para manejar sus emociones. Necesita leer, estudiar lo ejercicios, practicar los varios métodos de auto-ayuda, y aplicar lo que ha aprendido a sus situaciones personales y a su vida. El mantener un sistema de creencias racionales requiere esfuerzo y atención continuos.

USTED ES RESPONSABLE DEL MANEJO DE SUS EMOCIONES.

Lo Fundamental que Hay Que Recordar:

- Las creencias racionales, en contraste con las irracionales, son lógicas, basadas en la realidad, eficaces y útiles para sus emociones, basadas en deseos y preferencias y sin las cinco conexiones calientes.

- Detecte, dispute, y arranque las creencias irracionales y conversaciones mentales que están principalmente causando su ansiedad, ira, o epresión.

- Discuta y desafíe sus creencias irracionales hasta que no las tenga más.

- Para ponerse en contacto con sus conversaciones mentales pregúntese lo siguiente:

  "¿Qué me estoy diciendo a mí mismo sobre mí mismo?"

  "¿Qué me estoy diciendo a mí mismo sobre los demás?"

  "¿Qué me estoy diciendo a mí mismo sobre esta situación desagradable?"

- Como la baja tolerancia a la frustración (BTF) es la causa principal de los trastornos emocionales, esfuércese en elevar su capacidad para tolerar la frustración.

- Cuanto más frustrado esté, o más injusta sean la gente y las situaciones que lo rodean, más necesita usted mejorar su capacidad para tolerar la frustración. Esto es particularmente válido en tiempos de crisis.

- Cuando se sienta disgustado, complete *el Formulario de Auto-análisis y Mejoramiento del ABCD* para comprender y manejar mejor sus emociones.

- Anote y aprenda la Plegaria por la Serenidad.

SEÑOR, CONCÉDEME
SERENIDAD PARA ACEPTAR AQUELLO QUE NO PUEDO CAMBIAR, VALOR PARA CAMBIAR AQUELLO QUE PUEDO, Y SABIDURÍA PARA RECONOCER LA DIFERENCIA.

LEA, ESTUDIE, PRACTIQUE SOS

Capítulo 6

Creencias Irracionales y Conversaciones Mentales Comunes

ALIMENTANDO CREENCIAS IRRACIONALES

La gente se resiste al cambio en sus creencias irracionales. Hay gente que defiende, alimenta, cuida, y nutre sus creencias irracionales.

El Capítulo Cinco, Cómo Arrancar Nuestras Creencias Irracionales y Conversaciones Mentales, describe cómo discutir y arrancar eficazmente sus creencias irracionales, luego de detectarlas.

En este capítulo usted aprenderá:

- *once creencias irracionales y conversaciones mentales más comunes* para detectar y arrancar,

- *roblemas emocionales secundarios* y cómo evitarlos, y

• tipos de *distorsiones cognitivas y pensamientos erróneos* que causan problemas emocionales.

Los Deberes Principales y las Conexiones Calientes son el Fundamento de Nuestras Creencias Irracionales

Las creencias irracionales y conversaciones mentales causan ansiedad, ira, y depresión considerables. Las creencias irracionales centrales son *los tres deberes y debieras principales y las cinco conexiones calientes.*

Mientras lea reconozca como estos deberes, debieras y conexiones calientes están subyacentes a las creencias irracionales, incluyendo *las once creencias irracionales más comunes, distorsiones cognitivas, y pensamientos erróneos.rores de pensamiento.*

Repasemos brevemente los deberes, debieras, y conexiones calientes ya que son el fundamento de nuestras creencias irracionales y la causa básica de infelicidad.

```
        Tres Deberes Principales:
     Conversación Mental Irracional

  1  ¡Yo DEBO...!

  2  ¡Tú (él o ella) DEBES...!

  3  ¡El mundo y las condiciones en las que
     vivo DEBEN...!
```

Debo, no debo, debieras absolutos, tengo que, no debiera son parte de las creencias y conversaciones mentales irracionales cuando se usan como exigencias absolutas sobre uno mismo, los demás, el mundo, y las condiciones en que uno vive. Un doctor que se irritaba fácilmente creía: "*Debo ser el mejor en todo lo que hago*". Una madre agotada creía: "*Tengo que ser una madre perfecta todo el tiempo*".

Cinco Conexiones Calientes:
El Conectar Nuestros Deberes Principales con Nuestras Emociones

1. **Condena y Maldición***
   El desear un castigo y la ruina para uno o para los demás lleva a la ira dirigida a uno mismo o a los otros. Ejemplos son: "¡Tú!!#%@ canalla!" y "Tú desgraciado!"

2. **No-lo-puedo-soportar-ismo**
   No puedo soportar ninguna incomodidad, ansiedad, ira o depresión. No puedo sobrevivir ni ser feliz si tengo que soportar estos sentimientos. Me niego absolutamente a aceptar sentirme incómodo. Este hablarnos a nosotros mismos irracionalmente causa BTF: Baja Tolerancia a la Frustración.

3. **Catastrofismo**
   Esta situación es 100% espantosa, es HTP: Horrible, Terrible, Espantosa. Encontrar todo horripilante, terrible, catastrófico y espantoso son actitudes similares y exageradas.

4. **No Valgo Nada**
   No sirvo para nada. Baja aceptación de uno mismo (BAUM), baja auto-estima, y depresión son el resultado de los pensamientos y conversaciones mentales irracionales. "¡No sirvo para nada, PR (persona repugnante)!" es otro ejemplo.

5. **Siempre o Nunca**
   El, ella, o la situación siempre van a ser así y nunca van a cambiar.

○ CUANDO ESTÉ DISGUSTADO, BUSQUE LAS CINCO ○
CONEXIONES CALIENTES EN
○ SUS CONVERSACIONES MENTALES ○

---

* Lenguaje técnico: Las cinco conexiones calientes se llaman "conclusiones irracionales" o "derivados de los deberes principales" en la terapia racional emotiva conductual del Dr. Ellis (Ellis, 1994)

Las cinco conexiones calientes ligan los "deberes" y "debieras" con nuestras emociones. Estas creencias irracionales (conexiones calientes, deberes, debieras), si no se arrancan o manejan causarán infelicidad, ansiedad, ira, depresión, y conductas contraproducentes.

CNC, NS – Códigos para las conexiones calientes

C	**Condena y Maldición**
N	**No-lo-puedo-soportar-ismo**
C	**Catastrofismo**
N	**No Valgo Nada**
S	**Siempre y Nunca**

CNC, NS son reglas mnemotécnicas útiles que ayudan a recordar *las cinco conexiones calientes.*

Once Creencias Irracionales Comunes

Los terapeutas de la terapia racional emotiva (Ellis, 1994; Ellis y Lang, 1994) han identificado once creencias y conversaciones mentales irracionales más comunes. Al aferrarse a estas creencias irracionales la gente se causa a sí misma mucha ansiedd, ira, depresión, y otros tipos de angustia emocional. Estas creencias son responsables de muchas conductas contraproducentes y del fracaso en el logro de nuestras metas.

La mayoría de las once creencias irracionales (que se describirán a continuación) tiene su causa en *los deberes principales, los debieras absolutos, y las cinco conexiones calientes.*

La gente en casi todas de las culturas se disgusta de modos inumerables al exigir que el mundo sea como ella quiere. Aspire a un cambio positivo en su vida y en la vida de los demás, pero no se disguste innecesariamente al aumentar sus deseos y preferencias en exigencias absolutas junto con conexiones calientes.

> ## SEPA CÓMO CALMAR SUS EMOCIONES CUANDO ESTÉ DISGUSTADO.

Reflexione sobre las siguientes ideas ilógicas y luego elija tres o cuatro que se aplican más de cerca a su situación. ¿Al nivel emocional, cuáles tres o cuatro creencias irracionales tiende usted a mantener? Para una práctica adicional, piense en varias personas que usted conozca. ¿En cuáles de estas creencias irracionales un amigo en particular, un compañero de trabajo, o un familiar suyo tiende a creer?

Tome nota de las creencias irracionales que se apliquen a usted en particular. Esfuércese en discutir y arrancar aquellas creencias que hacen que se sienta ansioso, enojado, o deprimido.

Once Creencias y Conversaciones Mentales Irracionales

 # 1. **Para mí es una necesidad extrema el ser amado y aprobado por la mayoría de las personas que son significativas para mí.** Y si no lo soy, como debiera serlo, entonces es horrible, no-lo-puedo-soportar, y no valgo nada.

Un joven profesor de psicología me dijo una vez: "Me horroricé al descubrir que no todos mis estudiantes me apreciaban". Después de un tiempo él finalmente aceptó emocionalmente este descubrimiento y continuó siendo un profesor efectivo, aprobado por la mayoría de sus estudiantes.

<u>Consecuencias Típicas</u> – Baja auto-aceptación, baja auto-estima, ansiedad, depresión.

<u>Creencias Racionales Alternativas</u> – *Prefiero ser apreciado y aprobado por la mayoría de la gente que es significativa para mí. El saber que no todo el mundo me aprecia o aprueba no es algo horrible, lo-puedo-soportar, y aún puedo sentirme valioso. No es razonable el esperar que todo el mundo me apruebe. Tengo poco control sobre lo que piensan y sienten los demás.*

 # 2.   Debo ser perfectamente competente, aceptable, y exitoso en todos los aspectos importantes para sentirme valioso. Debo ser 100% competente en todas las áreas importantes y si no lo soy, como debiera serlo, es horrible, no-lo-puedo-soportar, no valgo nada, debiera ser condenado.

Consecuencias Típicas – ansiedad, depresión, poca aceptación de sí mismo, baja auto-estima, indecisión.

Creencias Racionales Alternativas – *Soy una persona imperfecta y falible que tiene tanto virtudes como defectos*. Voy a esforzarme en mejorarme a mí mismo. Hay cosas que hago bien. Puedo aprender de mis errores y de los golpes de la vida.*

 # 3.   El mundo debiera ser justo: La gente debiera actuar con justicia, pero como esto no sucede, la gente es mala, perversa, infame, o increíblemente estúpida; debiera ser severamente criticada y castigada. El mundo y los demás tienen que ser justos. Si los demás no son justos, es horrible, no-lo-puedo-soportar, debieran ser condenados. Siempre van a ser así y nunca van a cambiar a menos que reconozcan que son malos, perversos, o estúpidos.

Consecuencias Típicas – Ira, furia, búsqueda de venganza.

Creencias Racionales Alternativas – *Alternativas: Preferiría que los demás y el mundo fueran justos y razonables, pero la vida no es justa. Cuando sea posible, insistiré para que los demás actúen con justicia.*

Hay gente que cree que siempre se debe actuar con justicia y hacer lo correcto - y tienden a criticar y condenar a los demás por no ser perfectos. Esa gente necesita perdonarse a sí misma, arrepentirse de esa conducta, y esforzarse en actuar mejor en el futuro. Si no son capaces de perdonarse a sí mismos, es posible que más adelante desarrollen culpa y depresión.

> RELACIÓNESE CON EL MUNDO TAL COMO ES,
> NO COMO "DEBIERA" SER.

 # 4. <u>**El mundo debe ser fácil**</u>: **Es horrible y terrible cuando las cosas no son como yo espero.** Las cosas tienen que ser como yo las quiero, y si no lo son, es horrible, no-lo-puedo-soportar, el mundo debiera ser condenado, no valgo nada, y nunca voy a ser feliz.

<u>Consecuencias Típicas</u>: Depresión, ansiedad e ira.

<u>Creencias Racionales Alternativas</u>: *Preferiría que las cosas fuera como yo espero. A veces las cosas son como yo espero y a veces no. Cuando las cosas no son como yo espero, es inconveniente y malo, pero no horrible. No me gusta pero lo puedo soportar. No siempre puedo controlar lo que sucede a mi alrededor; pero sí puedo controlar mis creencias y conversaciones mentales sobre lo que acontece y de esa manera puedo controlar mis sentimientos hasta cierto punto.*

Puedo desear, orar, esforzarme por conseguir, "Serenidad (calma) para aceptar (tolerar sin exigir que no debiera ser) las cosas (mis problemas prácticos, adversidades, y los problemas emocionales resistentes) que no puedo cambiar, coraje (determinación) para cambiar las cosas (los problemas prácticos, las adversidades, y los problemas emocionales) que puedo, y sabiduría para reconocer la diferencia". *

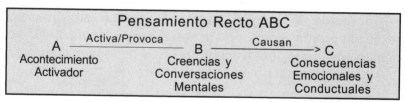

 # 5. **No puedo hacer gran cosa con mi ansiedad, ira, depresión, e infelicidad porque mis sentimientos son consecuencias de lo que me sucede.**

El creer que los demás, los acontecimientos, y las situaciones <u>causan principalmente</u> los sentimientos de uno es algo irracional, es un modo de pensar torcido. Este tipo de <u>pensamiento se muestra</u> en la ilustración siguiente.

---

* La Plegaria de la Serenidad con la interpretación de la Terapia Racional Emotiva y Conductual de acuerdo a Lynn Clark.

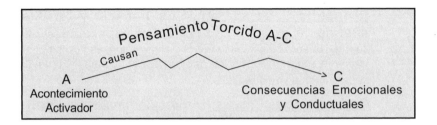

Con frecuencia es difícil controlar nuestras emociones. Sin embargo, será menos difícil luego de que SOS le muestre los métodos y técnicas para controlar las emociones.

Consecuencias Típicas: Infelicidad, agitación emocional, temor, y pánico que resultan de nuestras emociones aparentemente fuera de control.

Creencias Racionales Alternativas: Lo que creo y me digo a mí mismo sobre los acontecimientos y las situaciones son la causa principal de mis emociones.

 # 6.   Si algo es terrible y peligroso, debo estar constantemente disgustado y preocupado, pensando en la posibilidad de que eso ocurra.

Habia una mujer que con frecuencia se quedaba sola porque el trabajo de su esposo requería que viajara mucho por lo general ella no "chequeaba para verificar" si las puertas estaban cerradas con llave a la noche porque decía que tenía demasiado miedo para chequear. Sus miedos y creencias irracionales le impedían tomar precauciones razonables.

Consecuencias Típicas: Ansiedad, miedo, preocupación, dificultades para dormir, agotamiento mental.

Una creencia irracional relacionada con lo anterior es la siguiente:
Muchas situaciones son peligrosas (físicamente amenazantes o porque acarrean la posibilidad de un rechazo de los demás), y por lo tanto debo permanecer constantemente alerta para evitarlas.

Creencias Racionales Alternativas: La mayoría de las situaciones potencialmente peligrosas en realidad no ocurren.

Puedo ser cauteloso y controlar las situaciones peligrosas hasta cierto punto. Puedo manejar y adaptarme a las cosas malas que no puedo cambiar.

#7. **Es más fácil evitar y posponer las responsabilidades y dificultades que se nos presentan en la vida que confrontarlas.** Es horrible y no-puedo-soportar la frustración de tener que afrontar situaciones y problemas con los que no debiera tener que enfrentarme. Se debieran condenar y maldecir las dificultades y problemas.

Consecuencias Típicas: Indecisión para actuar y culpa, los pequeños problemas se convierten en problemas serios, uno se siente abrumado con las dificultades que se multiplican, las metas principales se ven amenazadas, aparecen conductas contraproducentes, con frecuencia se dan síntomas de ansiedad y depresión. La gente que cree en la # 7 a menudo tiene baja tolerancia a la frustración.

Una creencia irracional relacionada con la anterior es ésta:
Debo enojarme y disgustarme mucho antes de corregir una situación desagradable.

Debo esperar hasta que la situación difícil se vuelva intolerable o hasta que me disguste y haga algo. Debo esperar hasta que no-pueda-soportarlo más para:

- contactar a ese vecino ruidoso.

- pedir un cambio o un aumento de sueldo en mi trabajo.

- decirle a un amigo/a que no me gusta el modo en que me ha tratado.

- hacer que mis hijos mejoren su conducta en público.

- hablar con el profesor sobre mis calificaciones.

- cambiar un producto defectuoso.

Creencia Racional Alternativa: *El tratar con responsabilidades, tareas, y contratiempos es parte de la vida. Es mejor atender el problema al principio, cuando no es tan terrible. Puedo-soportar el resolver problemas mientras ocurren.*

 # 8.   Soy muy dependiente de los demás y necesito alguien más fuerte que yo en quien apoyarme; no puedo manejar mi propia vida. Debo tener a alguien más fuerte en quien depender y si no tengo a nadie, es horrible, no-lo-puedo-soportar, no valgo nada, y siempre voy a sentirme inconsolable. Me siento indefenso y no puedo funcionar sin la ayuda de alguien.

Consecuencias Típicas: Dependencia en quienes no son dignos de confianza para responder a las necesidades de uno, ansiedad.

Creencias Racionales Alternativas: *Me gustaría que los demás me guiaran y me apoyaran, pero es más realista el que dependa de mí mismo. Puedo aprender a ser más independiente.*

 # 9.   Mi historia pasada es la causa principal de mis sentimientos y conductas presentes, aquello que en el pasado me influyó mucho, sigue teniendo la misma influencia.

Consecuencias Típicas: La persona con estas creencias irracionales puede sentirse inundada con sentimientos y emociones desagradables y sentirse incapaz de cambiarlos.

Una creencia irracional relacionada con esta anterior es: **Cuando una persona se siente perturbada siempre hay una causa específica en su pasado. Se encuentra, se comprende, y se trata esa causa del pasado y recién entonces la persona no sentirá más su influencia.**

El pasado de uno, en particular las experiencias traumáticas y algún estrés grave durante la infancia son importantes y pueden contribuir a la perturbación presente. Sin embargo, adoctrinarse continuamente con creencias irracionales (algunas de las cuales son conscientes, otras inconscientes, y otras relacionadas con la propia infancia) es lo que perturba principalmente a la persona. La persona que se siente alterada, debe buscar las creencias irracionales que están causando la perturbación emocional y arrancarlas.

En terapia, una persona que tiene una creencia irracional relacionada con la # 9 a menudo descubre que no se siente mejor luego de descubrir la causa de sus problemas emocionales. Rara vez se trata de una causa singular, distante, y oculta que es responsable por el alto nivel de ansiedad, ira, y depresión de una persona.

Por lo general, las causas de nuestros problemas están en las creencias irracionales continuas. La terapia puede ayudar a detectar y discutir estas creencias irracionales lo cual lleva a un mejoramiento del humor y la conducta.

El psicoanálisis y ciertos aspectos de los medios de comunicación y la cultura popular han fomentado la creencia de que, una vez que una persona ha sido fuertemente afectada por un acontecimiento traumático (particularmente durante la infancia), esa persona siempre sufrirá esa influencia. La mayoría, aunque no todos, se recuperan de los acontecimientos traumáticos. La recuperación de las experiencias traumáticas sin duda tiene que ver con lo que la gente creen y se dice a sí misma sobre esa experiencia traumática.

Un trauma prolongado y continuo durante la infancia (tal como el abuso sexual repetido) o una infancia carente de amor y cuidado pueden tener un efecto negativo severo en el desarrollo de los niños. Sin embargo, la mayoría de los niños con este pasado se desarrollan normalmente hacia una vida adulta aunque retengan los recuerdos negativos. Las personas que creen que aquellos que han tenido una infancia trágica por lo general tienen problemas emocionales en la vida adulta, tienen un riesgo mayor de desarrollar problemas emocionales.

Creencia Racional Alternativa: *Mis conductas y sentimientos presentes están más controlados por mis creencias y conversaciones mentales presentes que por eventos distantes que ocurrieron hace muchos años. Algunos aspectos de mi pasado son desagradables, y he aprendido de esas experiencias. Puedo aprender maneras de alterarme menos por los aspectos desagradables de mi pasado.*

#10. Si siento cariño por alguien, debo sentirme ansioso, enojado, y deprimido cuando esa persona tiene problemas y disgustos. Aquellos que quiero no deben tener problemas y disgustos significativos, y si los tienen, lo cual no debiera suceder, es horrible, no-lo-puedo-soportar, no valgo nada, y siempre va a ser así. No puedo ser feliz sabiendo que otros no lo son.

Consecuencias Típicas: Ansiedad, depresión, ira

Una persona que se sentía infeliz se preguntaba: "¿Cómo se puede ser feliz cuando hay tanta tragedia en el mundo?". Es cierto que hay mucha miseria en el mundo y que a menudo cosas malas le pasan a gente buena. Es uno de mis valores el ayudar a los demás y trabajar en la construcción de un mundo mejor. Sin embargo, una persona puede alterarse tanto emocionalmente a consecuencia de las desgracias y problemas de los demás que se vuelva disfuncional en su propia vida e incompetente para ayudar a los demás.

"AMO TANTO A MI MADRE QUE..."

Lejos de su hogar, en la universidad, Miguel se sentía muy abatido porque amaba a su mamá y ella estaba profundamente deprimida.

Miguel pasaba mucho tiempo pensando cómo le mostraría a su madre lo mucho que la quería. "*¡Quiero tanto a mi mamá. Si me muriera y le dejara una carta diciéndole lo mucho que la quiero, así sabría cuánto la quiero! Así sabría que entiendo lo que ella está pasando*".

Miguel se adoctrinaba continuamente con la creencia irracional # 10. Aunque no estaba muy consciente de ello, se estaba diciendo a sí mismo: "*Mamá no debiera está tan deprimida y abatida, pero si lo está, aunque absolutamente no debiera estarlo, es horrible, no-lo-puedo-soportar, no valgo nada, y ella siempre se sentirá abatida*".

Luego de varias sesiones de terapia, Miguel se dio cuenta de cuán disfuncionales eran las creencias y pensamientos irracionales sobre su propia muerte. Comenzó a manejar mejor sus emociones y desarrolló un plan racional para brindar a su madre el apoyo emocional que necesitaba.

Creencias Racionales Alternativas: *Estoy preocupado y entristecido cuando escucho que pasan cosas malas a los demás y voy a esforzarme, en la medida de lo posible, para ayudar a que los demás sean felices. Sin embargo, la desgracia e infelicidad de los demás no pueden causar directamente mi ansiedad, depresión, e infelicidad.*

> CUANDO SE SIENTA DISGUSTADO, BUSQUE SUS
> DEBERES Y DEBIERAS

 # 11. Existe una solución correcta y perfecta para la mayoría de los problemas y es horrible cuando uno no la encuentra. Debiera existir una solución correcta y perfecta y debo encontrarla. Si no la encuentro, es horrible, no-lo-puedo-soportar, ese problema debiera ser condenado, y nunca habrá una solución.

Consecuencias Típicas: Ansiedad, ira, y depresión, el pensar constantemente sobre los problemas.

Creencias Racionales Alternativas: *No me gustan los problemas que no tienen una solución perfecta, pero puedo vivir con ellos. Puedo influir pero no controlar completamente mi mundo, que es complicado y frustrante.*

> LAS PREFERENCIAS, DESEOS, Y EXPECTATIVAS
> INSATISFECHAS NO PUEDEN ABATIRME. LAS
> EXIGENCIAS ABSOLUTAS, LOS DEBERES Y DEBIERAS
> SÍ LO PUEDEN.

Once Creencias Irracionales Comunes que Causan Angustia Emocional

#1	**Para mí es una necesidad extrema el ser amado y aprobado por la mayoría de las personas que son significativas para mí.**
#2	**Debo ser perfectamente competente, aceptable, y exitoso en todos los aspectos importantes para sentirme valioso.**
#3	**El mundo debiera ser justo. La gente debiera actuar con justicia, pero como esto no sucede, la gente es mala, perversa, infame, o increíblemente estúpida; debiera ser severamente criticada y castigada.**
#4	**El mundo debe ser fácil. Es horrible y terrible cuando las cosas no son como yo espero.**
#5	**No puedo hacer gran cosa con mi ansiedad, ira, depresión, e infelicidad porque mis sentimientos son consecuencia de lo que me sucede.**
#6	**Si algo es terrible y peligroso, debo estar constantemente disgustado y preocupado, pensando en la posibilidad de que eso ocurra.**
#7	**Es más fácil evitar y posponer las responsabilidades y dificultades que se nos presentan en la vida que confrontarlas.**
#8	**Soy muy dependiente de los demás y necesito alguien más fuerte que yo en quien apoyarme; no puedo manejar mi propia vida.**
#9	**Mi historia pasada es la causa principal de mis sentimientos y conductas presentes, aquello que en el pasado me influyó mucho, sigue teniendo la misma influencia.**
#10	**Si siento cariño por alguien, debo sentirme ansioso, enojado, y deprimido cuando esa persona tiene problemas y disgustos.**
#11	**Existe una solución correcta y perfecta para la mayoría de los problemas y es horrible cuando uno no la encuentra.**

Problemas Emocionales Secundarios (Adicionales): Cómo Evitar Crearlos

Un problema emocional secundario es disgustarse por estar disgustado (Ellis, 1994, pp. 253-254; Dryden y Neenan, 1994)

Por ejemplo, supongamos que en la mañana del lunes usted va a dar una charla en el trabajo o en la escuela.* Usted pasa todo el fin de semana obsesionado, preocupado, y disgustado sobre este problema emocional primario.

El domingo observa su disgusto emocional y se dice a sí mismo: "*¡No debo disgustarme tanto por dar una charla y como ya me he disgustado tanto por una simple charla, no valgo nada, debiera ser maldecido y condenado, siempre será de esta manera, y nunca voy a mejorar mi habilidad para preparar charlas!*" La consecuencia emocional de esta conversación mental irracional es la depresión del domingo. La depresión del domingo se vuelve una problema emocional secundario (adicional).

La depresión del domingo es un problema emocional secundario porque sigue al problema emocional primario, que era preocuparse por la charla.

---

*Lenguaje técnico: La Perspectiva del ABC de Nuestros Problemas Emocionales es la siguiente: La Ansiedad y Preocupación sobre la presentación del lunes pasa a ser el Acontecimiento Activador. Las Creencias y Conversaciones Mentales Irracionales son: "¡No debo disgustarme tanto por dar una charla y como ya me he disgustado tanto por una simple charla, no valgo nada, debiera ser maldecido y condenado, siempre será de esta manera, y nunca voy a mejorar mi habilidad para preparar charlas!" Las Consecuencias Emocionales y Conductuales son el sentirse deprimido y despreciable el domingo.

Los debieras y debieras principales y las conexiones calientes están activas tanto en la generación tanto de los problemas emocionales primarios como los secundarios.

Perspectiva del ABC de Nuestros Problemas Emocionales Secundarios

A	Activa/Provoca → B	Causan → C
Acontecimiento Activador 2	Creencias y Conversaciones Mentales 2	Consecuencias Emocionales y Conductuales 2
El observar su disgusto emocional.	Lo que se dice a sí mismo sobre lo que ha observado de su disgusto emocional.	Ansiedad y depresión sobre lo que ha observado sobre su disgusto emocional.

¿Qué otros ejemplos hay de los problemas emocionales secundarios? Si usted está deprimido (problema emocional primario) por alguna razón, usted puede deprimirse más (problema emocional secundario) por estar deprimido. Lo hace diciéndose a sí mismo: "Sólo una persona débil y despreciable se deprime, y como yo estoy deprimido, soy realmente débil y no valgo nada..."

Si usted está ansioso y temeroso (problema emocional primario) porque tiene que tomar un examen de matemática, puede ser que se disguste más y se deprima (problema emocional secundario) por su ansiedad sobre la matemática.

EL DISGUSTARSE POR ESTAR DISGUSTADO: CÓMO SE CREAN
LOS PROBLEMAS EMOCIONALES SECUNDARIOS

"Me he deprimido mucho por mis fobias. Y últimamente me he puesto ansiosa por estar deprimida".

Tenga cuidado con lo que se dice a sí mismo sobre sus sentimientos desagradables. No se cree problemas emocionales adicionales.

Cuando usted se ponga ansioso, irritado, o deprimido sobre una situación, tenga cuidado en no disgustarse más *sobre* el estar ansioso, irritado, o deprimido. Cuando se sienta disgustado y angustiado por algo, preste atención a lo que se dice a sí mismo sobre el estar disgustado. Un buen modo de determinar si tiene un problema emocional secundario es preguntarse: "*¿Cómo me siento sobre el estar deprimido (o ansioso)? ¿Qué es lo que me revela sobre mí mismo el hecho de que con frecuencia tengo dificultad con sentirme deprimido?*"

Los problemas emocionales secundarios son muy comunes. ¡Evite creárselos! Aprenda a calmar sus emociones en lugar de crearse problemas emocionales secundarios.

Una conversación mental que ayuda a evitar el sentirse disgustado por tener problemas emocionales es: "*No soy una persona perfecta. Soy falible y con virtudes y debilidades, como cualquier otra persona. Voy a tratar de no disgustarme aún más sobre el estar disgustado*".

Distorsiones Cognitivas y Pensamientos Erróneos* que Hay que Evitar

Las distorsiones cognitivas y los pensamientos erróneos explican aún más cómo la gente se disgusta a sí misma. Los términos distorsiones cognitivas y pensamientos erróneos tienen el mismo significado pero muchos terapeutas

EL CAMINO HACIA LOS MAYORES FRACASOS EN LA VIDA ESTÁ PAVIMENTADO CON CREENCIAS Y CONVERSACIONES IRRACIONALES.

PARA ENDEREZAR SUS EMOCIONES, ENDERECE PRIMERO SUS CREENCIAS Y CONVERSACIONES MENTALES.

prefieren la expresión "pensamientos erróneos" porque suena menos intimidante.

Cognitivo se refiere a los pensamientos, creencias y conversaciones mentales. Cuando nuestros pensamientos y conversaciones mentales se distorsionan y se convierten en errores completos, nos ocasionamos una angustia emocional mayor, como así también enojo e irritabilidad continuos.

En mayor o menor grado, todos cometemos errores de pensamiento. Pero hay gente que comete estos errores de manera habitual causándose a sí misma angustia y abatimientos considerables.

Veamos más de cerca los pensamientos erróneos y automáticos que causan tanta angustia emocional. *Un pensamiento automático es una interpretación rápida y espontánea de un evento o situación que conduce a una respuesta emocional.* Los pensamientos automáticos se parecen a las creencias y conversaciones mentales en que son espontáneos y sólo aparecen parcialmente en nuestra conciencia.

Muchos de los pensamientos automáticos son irracionales. *Los pensamientos automáticos irracionales llevan a pensamientos erróneos y distorsiones cognitivas. Estos errores son tergiversaciones de los eventos y situaciones y causan respuestas emocionales irracionales y exageradas.*

Para mucha gente, estas distorsiones cognitivas y pensamientos erróneos se repiten constantemente y causan conductas contraproducentes y problemas emocionales. Estos pensamientos impiden nuestra felicidad e intensifican nuestra ansiedad, ira, y depresión. Limitan también nuestra capacidad para comprender los sentimientos de los demás y para manejar nuestras relaciones.

Lenguaje técnico: *Las distorsiones cognitivas y pensamientos erróneos* son conceptos útiles de Aaron Beck (Beck y Rush, 1995), David Burns (1999), y otros. Para profundizar el conocimiento de las distorsiones cognitivas y pensamientos erróneos se puede leer el libro de David Burns, *Feeling Good: The New Mood Therapy* (Sintiéndose Bien: La Nueva Terapia del Humor) 1999.

Tanto la terapia cognitiva (CT) como la terapia racional emotiva y conductual (TREC) están de acuerdo en que los pensamientos y las conversaciones mentales son las causas principales de las emociones.

Con esfuerzo y estudio podremos aprender a hacernos más conscientes de nuestros pensamientos automáticos. Lo que es aún más importante, podremos aprender a controlarlos y a limitar su influencia negativa en nuestras emociones.

Usted puede tratar de descubrir si está teniendo ciertos pensamientos erróneos a través del estudio individual, o con la ayuda de un terapeuta, o con la asistencia de terapia grupal. Si no hay evidencia que apoya la validez de un pensamiento en particular, usted necesita tratar de persuadirse repetida y enérgicamente de que el pensamiento es falso, y de esta manera reducir la influencia de ese pensamiento sobre sus emociones, humor, y conducta.

La próxima sección introduce tipos comunes de distorsiones cognitivas y pensamientos erróneos (Hales y Hales, 1995). ¿Cuál de estos pensamientos erróneos tiene usted?:

Distorsiones Cognitivas y Pensamientos Erróneos

1.   Todo-o-Nada -- Usted ve un acontecimiento, una situación o una persona y es blanco-o-negro sin ningún matiz de gris. Una persona que completa la tarea escolar pero no es el mejor, puede creer que es un fracaso.

2.   Generalización -- Excesiva de los acontecimientos negativos. Usted toma un ejemplo de un acontecimiento negativo, lo generaliza, y cree que todos los demás acontecimientos similares serán igualmente negativos.

3.   Filtro Mental Negativo que deja pasar sólo los ejemplos negativos. Su pensamiento sólo acepta los ejemplos negativos de algo. Por consiguiente, todo lo que usted ve le recuerda ese ejemplo negativo.

4.   Descalificar los Ejemplos Positivos -- Usted descarta, rechaza, o minimiza los ejemplos positivos de algo. Por ejemplo, un padre deprimido puede pensar que sus cualidades positivas como padre no son realmente importantes y no debieran contarse o considerarse.

5.   Leer el Pensamiento de los Demás -- Impulsivamente interpretamos la reacción de otra persona como negativa y creemos que no le caemos bien sin evidencia. Esto lleva a saltar a conclusiones.

> **Adivinación del futuro y predicción de malos acontecimientos** -- Impulsivamente predecimos que ese evento o persona nos desilusionarán y por lo tanto actuamos como si tuviéramos evidencia de tal predicción. Esto es saltarse a conclusiones.

6.   Magnificación de los Ejemplos Negativos -- Se trata de magnificar la importancia de un evento negativo, de un error, o de la característica de una persona. Una persona puede tener una imperfección mínima, imperceptible en la cara y exagera su importancia.

> **Minimización de los Ejemplos Positivos** -- Se trata de minimizar la importancia de los ejemplos positivos o del éxito personal. Un niño deprimido puede sacarse todas "Bs" en la escuela y decir que cualquier compañero pudiera haber hecho lo mismo. O el padre del niño deprimido decir que cualquier niño puede sacarse una "B".

7.   El Razonamiento Emocional Invalida el Razonamiento Lógico -- Se trata de razonar con sus sentimientos sin buscar una evidencia lógica. Una persona puede sentirse no querida y despreciada por su familia cuando en realidad su familia la quiere y la aprecia. Otros ejemplos de este pensamiento erróneo son:

- *"Me siento profundamente deprimido, por lo tanto no valgo nada".*
- *"Estoy enojada con ella lo cual prueba que ella me trató mal".*
- *"Le tengo miedo a ese conejito de Indias, por lo tanto es peligroso".*

8.   **Deberes y Debieras** -- Usted se carga con exigencias para con usted mismo y para con los demás y para con el mundo (o las condiciones en que vive). Usted exige que los demás y el mundo le den lo que usted quiere.

9.   **Rotulaciones Negativas de sí mismo y de los demás** -- Se trata de ponerse a sí mismo o a los demás etiquetas como: "un fracaso", "un lío", "un idiota", "un perdedor", un "*#§æ!" Evalúe su conducta pero evite dar rótulos tanto a usted mismo como a los demás en sus conversaciones mentales. Evite las conexiones calientes de condena y maldición.

10.   **Echarse la culpa a sí mismo o echársela a los demás** -- Se trata de echarse la culpa o echársela a otros totalmente por algo negativo que sucedió. La mayoría de los eventos desagradables ocurren por varias causas.

Distorsiones Cognitivas y Pensamientos Erróneos

- **Todo-o-Nada**
- **Generalización Excesiva** de los acontecimientos negativos.
- **Filtro Mental Negativo** que deja pasar sólo los ejemplos negativos
- **Descalificar los Ejemplos Positivos**
- **Leer el Pensamiento** de los Demás y **Adivinar el Futuro**
- **Magnificación** de los Ejemplos Negativos y **Minimización** de los Ejemplos Positivos
- **El Razonamiento Emocional** Invalida el Razonamiento Lógico
- **Deberes y Debieras**
- **Rotulaciones Negativas** de sí mismo y de los demás
- Echarse la culpa a sí mismo o echársela a los demás

LOS TRES DEBERES PRINCIPALES Y LAS CINCO CONEXIONES CALIENTES PROVEEN UN SUELO FÉRTIL PARA: LAS ONCE CREENCIAS IRRACIONALES MÁS COMUNES LOS PROBLEMAS EMOCIONALES SECUNDARIOS, DISTORSIONES COGNITIVAS, Y PENSAMIENTOS ERRÓNEOS.

Los Tres Deberes Principales son exigencias absolutas sobre uno mismo, sobre los demás, y sobre el mundo.

Estas incluyen: ¡Yo *DEBO*...! ¡Tú (el o ella) *DEBES/E*...! ¡El mundo y las condiciones en que vivo *DEBEN*! Los deberes incluyen también los: tengo que, no tengo que, absolutamente debo, no debo, debiera y no debiera.

Las cinco conexiones calientes (que se combinan con los tres deberes principales) son: Condena y Maldición, No-lo-puedo-soportar-ismo, Catastrofismo, No valgo nada, Siempre o Nunca.

Cuando se unen las cinco conexiones calientes con los tres deberes principales se crean las Once Creencias Irracionales más Comunes, los Problemas Emocionales Secundarios, las Distorsiones Cognitivas, y los Pensamientos Erróneos. Todas estas creencias irracionales producen e intensifican la ansiedad, la ira, la depresión, la vergüenza, la culpa excesiva, los celos, y la envidia.

Lo Fundamental que Hay Que Recordar:

- Las cinco conexiones calientes (*Condena y Maldición, No-lo-puedo-soportar-ismo, Catastrofismo, No valgo nada, Siempre o Nunca*) cuando se combinan con los deberes y debieras pueden causar angustia emocional continua. Use"CNC, NS" para recordar las conexiones calientes.

- De las conexiones calientes, deberes, y debieras crecen once creencias irracionales comunes.

- Revise las once creencias irracionales comunes. Pregúntese: "*¿De las once creencias irracionales, cuáles tres o cuatro más se aplican a mi situación?*"

- Tenga cuidado con lo que se dice a sí mismo <u>sobre</u> su ansiedad, ira, o depresión. Usted puede estar provocándose *un problema emocional secundario (adicional)*.

- *Cuando esté disgustado, busque los <u>deberes</u> y los <u>debieras</u>.*

- *Las preferencias, deseos y expectativas insatisfechas no pueden abatirlo, las exigencias, deberes y debieras absolutos sí lo pueden.*

- Las distorsiones cognitivas y los pensamientos erróneos son pensamientos irracionales que causan angustia emocional y conductas inadaptadas.

- Pruebe su comprensión de los Capítulos Cuatro, Cinco, y Seis. Vaya al Capítulo 12 y complete la Parte Dos de los cuestionarios y ejercicios.

LEA, ESTUDIE, PRACTIQUE SOS

LEA, ESTUDIE, PRACTIQUE SOS

Tercera Parte

CÓMO MANEJAR LA ANSIEDAD, LA IRA Y LA DEPRESSIÓN

www.sosprograms.com

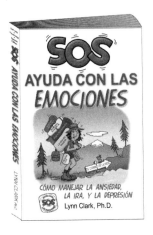

Español SOS

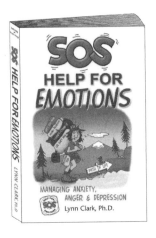

Inglés SOS

SOS Ayuda Para Padres

DVD Video SOS Ayuda Para Padres
www.sosprograms.com

*Visite nuestro sitio de internet. Puede bajar
copias gratis de los materiales de SOS en
<**www.sosprograms.com**>*

Capítulo 7

Manejando la Ansiedad

¡AYUDA! ¡AYUDA!

Algunos acontecimientos activadores, tales como el que a uno lo persigan con un arma, son causas de miedo concretos y poderosos.

Hay una diferencia entre el miedo y la ansiedad. El miedo resulta principalmente de una amenaza o peligros específicos y reales como la persecución que se mencionó anteriormente.

La ansiedad es provocada por las amenazas futuras, amenazas a nuestro bienestar que son vagas y pobremente definidas.

En este capítulo consideraremos:

• la diferencia que existe entre la ansiedad como problema y la ansiedad como un trastorno;

• tipos de trastornos de la ansiedad;

- causas de la ansiedad, tales como las conversaciones mentales irracionales y la amenaza de perder algo valioso (como por ejemplo su salud, o una relación importante); y

- los modos de prevenir y de manejar la ansiedad.

Todos tenemos dificultades y problemas en la vida. Si nuestros problemas prácticos (es decir, los acontecimientos activadores negativos) y nuestras reacciones emocionales a esos problemas se agravan suficientemente, podemos llegar a desarrollar un trastorno. La intensidad de nuestra reacción determina si el problema se convierte en trastorno. *Un trastorno resulta cuando la persona sufre una angustia considerable o un impedimento significativo en las relaciones con los demás, o en la capacidad de mantenerse a sí misma, como trabajador, ama de casa, o estudiante* (DSM, 2000)*

El diccionario de Webster define la ansiedad "como una aprensión y desasosiego mentales dolorosos sobre algo pendiente o anticipado (evento negativo) una sensación abrumadora y anormal de aprensión y temor con frecuencia caracterizada por síntomas físicos (transpiración, tensión, pulso acelerado) por un duda concerniente a la realidad y naturaleza de la amenaza, y por una duda sobre la propia capacidad para afrontarla" (Webster's, 1996).

La ansiedad puede también describirse como: "aprensión, tensión, desasosiego por la anticipación de un peligro cuya fuente es en gran parte desconocida... se ve como patológica cuando interfiere con la eficacia en la vida diaria, con el logro de las metas deseadas, con la satisfacción personal, o con el nivel de comodidad personal" (Glosario psiquiátrico, 1994).* La ansiedad puede resultar a consecuencia de la amenaza de perder algo que creemos esencial para nuestra felicidad, tal como una relación importante.

---

* DSM es *el Manual Estadístico y de Diagnosis de Trastornos Mentales*, 4ta. Edición, Texto Revisado, 2000 y el Glosario Psiquiátrico es *el Glosario Psiquiátrico Americano*, 1994. Ambos textos fueron publicados por la Asociación Psiquiátrica Americana. Las descripciones de la ansiedad están basadas en estas fuentes.

Por ser seres humanos falibles, de tiempo en tiempo nos perturban problemas de ansiedad. Si la ansiedad se agrava y causa angustia o impedimento considerables en nuestras vidas, se convierte entonces en *un trastorno de la ansiedad.*

La terapia racional emotiva y conductual (TREC), que es el fundamento de SOS, es particularmente eficaz en el tratamiento y prevención de los trastornos de la ansiedad. La medicación contra la ansiedad (ansiolíticos), en combinación con la TREC puede ser de mucha ayuda, tal como se describe en el Capítulo 11. Sin embargo, hay algunos tipos de medicamentos para la ansiedad que pueden volverse levemente adictivos.

Converse con su doctor sobre su necesidad de un examen médico. Algunas condiciones físicas pueden contribuir a la ansiedad y a síntomas del trastorno de ansiedad. Problemas de tiroides, diabetes, hipoglucemia, algunas enfermedades cardíacas, y otros trastornos físicos tienen síntomas similares a los de la ansiedad.

Veamos los distintos tipos de trastornos de ansiedad.* Mientras lea tenga cuidado con la "enfermedad de los estudiantes de psicología", que creen que uno tiene la mayoría de los trastornos sobre los que se está leyendo.

Ocho Tipos de Trastornos de Ansiedad

Trastorno de Ansiedad Generalizada (TAG) es una ansiedad, preocupación y aprensión excesivas y no realistas que se siente en una amplia variedad de situaciones y circunstancias durante el día. Los síntomas físicos incluyen: desasosiego, poca energía, dificultades de concentración, irritabilidad, tensión muscular, dolor muscular, falta de aire, palpitaciones, y dificultades en el dormir. Las áreas más frecuentes de preocupación son familia, dinero, trabajo, y enfermedad.

---

* Las fuentes son Wilson, G., Natham, P., O'Leary, K., y Clark, Lee (1996) y Neal, F., Davison, G., y Haaga, D. (1996)

El Trastorno de Ansiedad Generalizada es uno de los trastornos de ansiedad más comunes. El tener cautela es importante en la vida diaria y en afrontar los desafíos diarios. Sin embargo, la ansiedad y preocupación continuas y significativas se pueden convertir en un trastorno. Las causas de TAG incluyen las creencias irracionales, las conversaciones mentales irracionales, el catastrofismo, el mantener una baja tolerancia a la frustración y *el pensamiento hipotético. El pensamiento hipotético es preguntarse con frecuencia "¿Qué pasaría si...?" "¿Qué pasaría si el auto se descompusiera y llegáramos tarde?"* El pensamiento hipotético causa ansiedad.

Es un error el pensar que la gente con trastorno de ansiedad es "paranoica". Hay personas que son extremadamente temerosas y ansiosas sobre los peligros de la vida diaria, pero no creen que haya gente que quiera perjudicarlos intencionalmente o causarles problemas. Por tratar de reducir su ansiedad este tipo de personas corren un riesgo mayor de caer en problemas de alcoholismo o drogadicción.

Sus conversaciones mentales incluyen con frecuencia: *"No debo experimentar incomodidad o peligros tanto físicos como psicológicos y si los experimento, es horrible, no-lo-puedo-soportar".* Otras creencias irracionales pueden ser: *"El no preocuparse es tonto e irresponsable, mi preocupación puede protegerme de peligros, al preocuparme constantemente me estoy preparando para los peligros futuros y para la incomodidad cuando esos eventos negativos ocurran".*

Haya dos creencias irracionales que contribuyen al Trastorno de Ansiedad Generalizada, de las que se habló en el Capítulo Seis:

#6. **Si algo es terrible y peligroso, debo estar constantemente disgustado y preocupado, pensando en la posibilidad de que eso ocurra.**

#4. **El mundo debe ser fácil: Es horrible y terrible cuando las cosas no son como yo espero.**

Trastorno de Pánico - es una ansiedad repentina, abrumadora que produce terror y muchos síntomas físicos tales como un miedo intenso, pulso acelerado, mareos, falta de aire, adormecimiento, cosquilleo, temblores, sofocos, escalofríos, miedo a perder el control, volverse loco, o morir. El terror por lo común llega a su punto crítico en diez minutos y luego decae.

La persona con trastorno de pánico por lo común no tiene idea de lo que causó ese temor intenso. En cambio, una persona con una fobia a los gatos sabe exactamente lo que causó su temor: ¡un gato!

Para mucha gente, la causa del ataque de pánico es una interpretación catastrófica y demasiado grave de una sensación física. Por ejemplo, puede ser que una persona note ciertos cambios sutiles en su cuerpo tales como el pulso, o una falta de aire leve (A acontecimiento activador) y se dice a sí misma que algo peligroso debe estar por ocurrir (B Creencias irracionales y conversaciones mentales). La conversación mental irracional (B) causa el miedo y el pánico (C, consecuencias, tanto emocionales como conductuales).

"¡ESTE DEBE SER EL FIN!"

Amanda notó que su pulso se alteró por un par de latidos (acontecimiento activador) y se dijo a sí misma: "¡Ay, un ataque al corazón! Este deber ser el fin y es horrible (conversación mental)". La consecuencia emocional y conductual de esa creencia irracional fue terror que hizo que su pulso se acelerara más aún. Al darse cuenta de que su pulso primero se alteró y luego se aceleró se dijo a sí misma: "¡Algo muy malo está pasando!" Este ciclo de terror llegó a su punto crítico en 10 o 15 minutos y Amanda se quedó temblando, débil, agotada, y preguntándose cuando le daría el siguiente ataque. Amanda, sin quererlo, causó su ataque de pánico y no estuvo consciente de sus conversaciones mentales que lo causaron.

Puesto que sus creencias y conversaciones irracionales son las causas principales de sus emociones, es importante escuchar atentamente lo que se dice a sí mismo.

Evite la hiperventilación cuando está temeroso y ansioso porque esto puede precipitar o intensificar los ataques de pánico. La hiperventilación, el respirar demasiado rápidamente durante un par de minutos perturba el equilibrio de oxígeno y el anhídrido carbónico en su cuerpo. La hiperventilación causará cosquilleo, mareos, aturdimiento, y la mayoría de los otros síntomas físicos del ataque de ansiedad aún en personas que no son particularmente ansiosas.

Agorafobia – Es una "ansiedad intensa ante la posibilidad de estar en lugares o situaciones en las que escaparse o pedir ayuda puede ser dificultoso o bochornoso, o en los que no hay ayuda fácilmente disponible" (Glosario Psiquiátrico, 1994). Las situaciones más comunes pueden ser estar lejos de casa, esperar en una fila, viajar en automóvil, entrar en un túnel, o cruzar puentes.

Las personas que sufren de agorafobia generalmente tienen también trastorno de pánico. Con frecuencia tienen temor a que les de un ataque de pánico en situaciones donde se pueden sentir avergonzados por el ataque, o donde puede ser difícil conseguir ayuda.

Fobia Social (también llamada Trastorno de Ansiedad Social) – Se caracteriza por un miedo persistente y el evitar situaciones en las que uno puede sentirse observado por los demás y por lo tanto rechazado, humillado, avergonzado. La persona no teme que la lastimen físicamente, simplemente el sentirse rechazada, que se rían de ella, o que la evalúen de manera negativa. Las situaciones más comunes incluyen el temor a los acontecimientos sociales, a hablar o comer en público, a hablar con gente del sexo opuesto, a usar baños públicos. Los síntomas físicos intensos de la ansiedad (transpirar y temblar) por lo general están también presentes.

La conducta principal es el evitar situaciones sociales. Como resultado de la angustia emocional y de las conductas evasivas, la persona suele tener ciertos impedimentos en su educación y trabajo. Sentimientos de baja auto-estima y baja aceptación de sí mismo contribuyen al trastorno de ansiedad social. Revise la sección sobre baja aceptación de sí mismo en el Capítulo Nueve.

Las creencias y conversaciones mentales irracionales pueden ser: "*Yo debo ser evaluada de manera positiva y aceptada por los demás, y si no soy aceptada, como debiera serlo, es algo horrible, y no-lo-puedo-soportar. ¡Si esto pasa, me sentiré despreciable y nunca encontraré felicidad!*" Creencias irracionales adicionales pueden ser: "*No debo sentirme incómodo junto a otras personas. Debo actuar correctamente y que me evalúen de manera positiva. Si no actúo bien, y es que debo actuar absolutamente bien, me siento despreciable*".

Dos creencias irracionales que contribuyen a la fobia social que ya se explicaron el Capítulo Seis, son las siguientes:

#2. **Debo ser perfectamente competente, aceptable, y exitoso en todos los aspectos importantes para sentirme valioso.**

#1. **Para mí es una necesidad extrema el ser amado y aprobado por la mayoría de las personas que son significativas para mí.**

Fobia Específica – Es un temor marcado e irracional provocado por objetos específicos o situaciones tales como la altura, el volar, los animales pequeños, los insectos, los ascensores, el ver sangre, o que le pongan una inyección. La

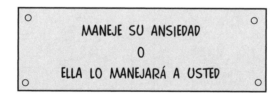

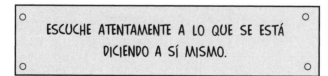

Para aprender más sobre cómo las creencias y conversaciones mentales crean ansiedad y sobre los 15 métodos para controlar estas creencias, lea *Cómo controlar su ansiedad antes de que ella lo controle a usted (How to Control your Anxiety Before it Controls You)* de Albert Ellis, (1998)

Aprendiendo a Manejar su Ansiedad con ABCs

A Acontecimiento activador

B Creencias y conversaciones mentales

Activa
Provoca

"*Creo que le voy a pedir que salga conmigo. Lo he estado pensando durante dos semanas*".

Causan

"*¡Ay, quizás me diga que no! ¡Si me dice que no va a ser horrible, me sentiré <u>despreciable</u>, y <u>no-lo-podré-soportar</u>!*"

C Consecuencias emocionales y conductuales

D Diputa

"*No puedo ni siquiera pensar que me rechace. No-puedo-soportar el malestar y la tensión de pedirle que salga conmigo. Voy a esperar hasta la próxima semana para preguntarle*".

"*Me estoy poniendo ansioso. Si me dice que no, no va a ser terrible, y lo-puedo-soportar y voy a esforzarme en <u>no subestimarme</u>. Le voy a preguntar si quiere salir conmigo*".

persona experimenta un angustia marcada o altera completamente su vida para evitar el objeto o la situación temidos.

Las conversaciones mentales incluyen: "Absolutamente no debo permitir que me lastimen y si lo hacen va a ser terrible, y no lo puedo soportar. No debo acercarme a aquello que temo. No debo experimentar malestar acerca de las cosas que me asustan y si lo experimento, va a ser algo terrible".

> *¡UN INSECTO VOLADOR DESTRUYÓ EL ESCARABAJO!*
>
> Carlos, un psicólogo, tenía temor a los insectos voladores. Una vez que Carlos volvía a casa de su trabajo en su "Escarabajo" Volkswagen, un insecto voló dentro de su auto. ¡Le dio tal temor que perdió el control de su Escarabajo y se salió de la carretera!

Trastorno Obsesivo-Compulsivo (OCD) – Se trata de compulsiones y obsesiones frecuentes que son graves y consumen mucho tiempo o causan mucha angustia e impedimento. Las obsesiones son pensamientos, impulsos, o imágenes mentales recurrentes e inoportunos que causan perturbación. Son ejemplos de obsesiones el preocuparse constantemente de que la puerta esté cerrada con llave, y pensamientos de estar contaminándose con gérmenes cuando le da la mano a otra persona.

Las compulsiones con acciones y conductas inoportunas y repetitivas tales como lavarse las manos, el poner objetos en un orden determinado, el limpiar repetidamente la misma habitación. La persona reconoce que las obsesiones y compulsiones son excesivas e irracionales pero de todas maneras no las puede controlar.

> *"TE PUEDO CONTAMINAR"*
>
> Sandra estaba obsesionada con los gérmenes de las manos y de transmitirlos accidentalmente a otros al estrechar la mano o tocar objetos tales como el picaporte,

el brazo del sillón, objetos que los demás podrían tocar más tarde. Siempre se sentía urgida a lavarse las manos luego de tocar sus zapatos. Luego de comprar algo en una tienda volvía y sorprendía al empleado que la atendió diciéndole: "Gracias, o si no se lo dije, gracias otra vez, gracias" por ayudarme con esta compra. Aunque Sandra sabía que sus obsesiones y compulsiones no eran razonables, tenía mucha dificultad en controlarlas.

Luego de seis meses de terapia cognitiva y conductual y medicación, Sandra logró un control considerable sobre sus pensamientos y conductas.

Hipocondriasis es una preocupación, ansiedad, y miedo injustificado continuos sobre la posibilidad de tener una enfermedad grave a pesar de la evidencia médica que indica lo contrario. Los exámenes médicos frecuentes, los estudios de diagnóstico, y los esfuerzos de los doctores para tranquilizarla, no reducen la preocupación de la persona o la convencen de que no tiene ninguna enfermedad grave tales como problemas cardíacos o cáncer.

Esta preocupación continua causa una angustia emocional considerable e impedimento en el funcionamiento personal al nivel familiar, social, o vocacional. En lugar de preocuparse por la familia, el trabajo, las finanzas, o los problemas en las relaciones como lo hace la mayoría de la gente, la persona hipocondríaca se preocupa principalmente por los peligros de su cuerpo. Los médicos informan que entre un 4% y un 9% de sus pacientes tienen hipocondriasis (DSM-IV, 1994)

La creencia irracional conectada con la hipocondriasis es la siguiente:

#6. **Si algo es terrible y peligroso, debo estar constantemente disgustado y preocupado, pensando en la posibilidad de que eso ocurra.**

Trastorno de Ajuste con Ansiedad -- Ocurre como consecuencia de un evento o situación muy estresantes (un acontecimiento activador negativo), luego del cual, la persona desarrolla una ansiedad grave (nerviosismo extremo, preocupación, y agitación) y resulta impedida en las relaciones con los demás, o en el trabajo, en los estudios, o en las tareas hogareñas.

Algunos ejemplos de eventos estresantes pueden ser: conflictos maritales, divorcio, que lo despidan en el trabajo, fracasar en los estudios, o perder su granja o su negocio. Hay gente desafortunada que puede experimentar varios eventos estresantes al mismo tiempo. Personas que por lo general no sufren de ansiedad pueden desarrollar un Trastorno de Ajuste con Ansiedad si experimentan muchos acontecimientos negativos. Como es de suponer, este trastorno es bastante común.

LOS ACONTECIMIENTOS ACTIVADORES SE ACUMULAN

"Veamos,... usted perdió su trabajo, ... su suegra ha venido a vivir con ustedes, ... chocó su auto, ... ¡y los ladrones se llevaron casi todos sus muebles! Creo que su diagnóstico es Trastorno de Ajuste con Ansiedad".

Múltiples acontecimientos estresantes se pueden acumular y contribuir a la ansiedad. Sin embargo, las creencias y conversaciones mentales racionales nos pueden ayudar a adaptarnos emocionalmente y controlar parcialmente esos eventos negativos.

Auto-Ayuda para Problemas y Trastornos de Ansiedad

Porcentajes de Trastornos de Ansiedad en los Adultos

Trastornos de Ansiedad	Porcentajes en la Población en General
Trastorno de Ansiedad Generalizada	4% a 7% de la Población*
Trastorno de Pánico	2% a 4% de la Población*
Agorafobia	2% a 5% de la Población**
Fobia Social	11% a 16% de la Población*
Fobia Específica	7% a 16% de la Población*
Trastorno Obsesivo-Compulsivo	2% a 3% de la Población**
Hipocondriasis	4% a 9% de los Pacientes Clínicos
Trastorno de Ajuste con Ansiedad	No se conocen los porcentajes

* Porcentajes de un trastorno en la población general a lo largo de la vida. ** Los porcentajes que se dan de estos dos trastornos en la población corresponden a cualquier momento en la vida. Lamentablemente, una persona puede tener dos trastornos al mismo tiempo.

Cuando se sienta preocupado, tenso, o ansioso haga lo siguiente para interrumpir y manejar su ansiedad, tanto los síntomas físicos como los psicológicos. El Capítulo Cuatro describe muchos de estos métodos y técnicas:

- **Reconozca que tanto las creencias como las conversaciones mentales son las causas principales de la ansiedad** y no tanto los eventos o problemas prácticos (es decir, los acontecimientos activadores).

- **Trate primero el problema emocional** (su disgusto y ansiedad) antes de intentar resolver el problema práctico o tratar con la persona difícil (acontecimiento activador)

- **Reemplace emociones malsanas con emociones sanas.** Reemplace miedo con preocupación.

- **Reemplace los tres deberes principales y debieras absolutos con preferencias y deseos.**

---

* Las fuentes son Wilson, G., Nathan, P., O'Leary, K., y Clark, Lee. (1996) y Neal, F., Davison, G., y Haaga, D. (1996)

- **Abandone cualquiera de las cinco conexiones calientes** (condena y maldición, no-lo-puedo-soportar-ismo, catastrofismo, no valgo nada, y siempre o nunca) que esté usando.

- **Use un lenguaje emocional fresco cuando se hable a usted mismo.**

- **Use afirmaciones de afrontamiento** tales como: "*Esto no me gusta, no hay inconveniente, igual lo puedo soportar*".

- **Use distracción, diversión, y entretenimiento** para ocuparse temporalmente en una actividad placentera.

- **Practique respiración profunda y relajación muscular progresiva cuando esté disgustado.** Asegúrese de no hiperventilar sin querer porque ello producirá o intensificará la ansiedad.

- **Considere la posibilidad de un examen médico, o de probar medicación ansiolítica, o ver a un terapeuta.**

Para sentirse mejor y reducir la ansiedad por largo tiempo haga lo siguiente:

- **Use la Perspectiva de la Ansiedad y el ABC de Nuestras Emociones.**

- **Complete el Formulario del Auto-Análisis y Mejoramiento del ABCDE de la Ansiedad.**

- **Mantenga un Registro del Humor Diario para entender mejor sus emociones.** Los sentimientos de depresión e ira acompañan con frecuencia a los sentimientos de ansiedad.

- **Detecte e identifique las creencias y conversaciones mentales irracionales** que son las principales responsables de su ansiedad.

- **Disputa y responda a sus creencias irracionales y conversaciones mentales que causan**

ansiedad. Profundice su convicción sobre la potencia destructiva de sus viejas creencias irracionales y conversaciones mentales.

La Ansiedad y la Perspectiva del ABC de Nuestras Emociones

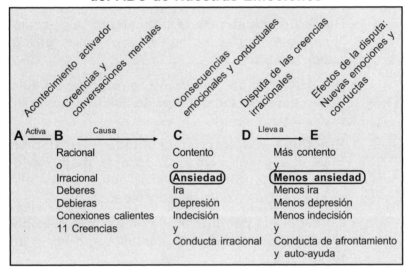

Cuando busque las creencias irracionales que puedan estar causando su ansiedad, repase las 11 creencias irracionales del Capítulo Seis. Considere especialmente la creencia # 6: *Si algo es terrible y peligroso, debo estar constantemente disgustado y preocupado, pensando en la posibilidad de que eso ocurra.*

Esfuércese en superar tanto los problemas prácticos como los emocionales. No obstante, no se juzgue por sentir la molestia de una ansiedad continua o el trastorno de ansiedad. El decirse: *"No debo tener un problema emocional, y si lo tengo, no-lo-puedo-soportar, no valgo nada, y debiera ser condenado"*, sólo intensificará su disgusto. Estas creencias y conversaciones mentales irracionales pueden causar los problemas emocionales secundarios que se han explicado en el Capítulo Seis.

Repase *la Plegaria de la Serenidad* en el Capítulo Seis

Identifique y discuta aquellas creencias y conversaciones mentales contraproducentes que son las principales responsables por su ansiedad. El *Formulario del Auto-Análisis y Mejoramiento del ABCDE de la Ansiedad* lo va a ayudar en esta tarea.

El Registro del Humor Diario:
Registro de la ansiedad, la ira, y la depresión

En una escala de 1 a 10 escriba el número que corresponde al promedio de su humor diario. Leve is 1 a 3, moderado es 4 a 5, alto es 6 a 8, y grave es 9 a 10.

Fecha/ hora	Ansiedad	Ira	Depresión	Notas

Las instrucciones siguientes describen cómo se mantiene un Registro del Humor Diario.

Primero, decida cuál de las emociones básicas va a registrar. Preste mucha atención a esas emociones. Registre el promedio aproximado de su humor correspondiente a las emociones que ha seleccionado para monitorear. Hágalo cada día. Entre anotaciones que lo ayuden a comprender mejor sus emociones.

LEA, ESTUDIE, PRACTIQUE SOS

El Formulario de Auto-análisis y
Mejoramiento del ABCDE

Fecha: _____

A **Acontecimiento Activador** (Situación o evento desagradables; pueden ser eventos anticipados):

B **Creencias y Conversaciones Mentales** (Sus creencias y conversaciones mentales irracionales, especialmente sus debo, debieras absolutos, y las cinco conexiones calientes):

C **Consecuencias** Emocionales y Conductuales (Sus emociones desagradables y conductas inadaptadas):

Emociones:

Conducta (o conducta contemplada):

D **Disputa y Debate** (Disputa sus creencias irracionales y conversaciones mentales, especialmente sus deberes, debieras absolutos, y las cinco conexiones calientes):

E **Efectos** (Efectos del disputa: Nuevas emociones y conductas):

Copie este formulario. Complete los pasos en este orden: A, C, B, D, y E. Cuando esté disgustado, siga los métodos de auto-ayuda de los Capítulos 4 y 5. Cuando complete la B, busque sus deberes, debieras absolutos, y cinco conexiones calientes. Fíjese si usted está también creyendo cualquiera de las 11 creencias irracionales que se describen en el Capítulo Seis.

Lo Fundamental que Hay Que Recordar:

- *Un poco de ansiedad ayuda a que la mente se concentre, pero demasiada la paraliza.*

- La ansiedad puede convertirse en algo más que un problema, puede convertirse en un trastorno.

- Un trastorno ocurre cuando una persona experimenta un estrés considerable, o un impedimento en las relaciones con los demás, o en la capacidad de trabajar, de estudiar, o de hacer las tareas hogareñas.

- *¡Maneje su ansiedad o ella lo manejará a usted!*

- Cuando se sienta ansioso o tenso, complete *el Formulario del Auto-Análisis y Mejoramiento del ABCDE de la Ansiedad* para comprender y manejar mejor su ansiedad.

- Use un buen número de los métodos adicionales del SOS para manejar su ansiedad.

USTED ES RESPONSABLE DEL MANEJO
DE SU ANSIEDAD.

LEA, ESTUDIE, PRACTIQUE SOS

Capítulo 8

Manejando la Ira

Aristóteles, un antiguo filósofo griego que vivió hace 2300 años (384-322 A.C.) se fijó en lo difícil que es manejar la ira.

En este capítulo vamos a considerar la ira tanto como un problema y como un trastorno, los tres objetivos de la ira, y los métodos para ayudarlo a "des-enojarse".

La Ira: Un Problema y un Trastorno

La ira es "*un fuerte sentimiento de indignación y antagonismo... sus sinónimos... cólera, furia, enojo, indignación, enfado, significan un estado emocional intenso inducido por un desagrado intenso. Enojo es el término más general pero no dice mucho sobre la intensidad y la razón de ese estado emocional*" (Webster, 1996).

Todos confrontamos situaciones desagradables y nos encontramos con gente molesta y desagradable. Si nuestra reacción de enojo se vuelve bastante grave, podemos desarrollar un trastorno. *El trastorno resulta cuando una persona experimenta una angustia emocional considerable o un impedimento significativo en las relaciones de trabajo, en las tareas hogareñas, o en los estudios* (DSM 2000).* Las personas que se enojan fácilmente experimentan una angustia considerable o un impedimento significativo en sus relaciones sociales, o las situaciones laborales, en las tareas hogareñas, o en los estudios.

En mi opinión, los sentimientos de ira por lo general causan más aflicción que la ansiedad o la depresión. Altos niveles de ira llevan, por lo general, a una limitación en la capacidad de resolver problemas, a decisiones impulsivas, y a acciones insensatas. La ira nos hace menos perceptivos de los pensamientos y sentimientos de los demás. La gente que tiene problemas o trastornos de ira, sin embargo, tienden a ser reacia a buscar ayuda o a admitir que tiene un problema.

Cuando nos enojamos es importante preguntarnos: "¿Dónde está la fuente de nuestra ira, en nosotros mismos o en otra persona (o situación)?

La ira resulta por lo general de nuestras creencias irracionales, expectativas, y conversaciones mentales. Los demás pueden provocar nuestra ira con tan solo activar o estimular nuestras creencias irracionales. Reduzca su ira arrancando sus creencias irracionales y conversaciones mentales. *Usted no podrá controlar su ira mientras crea que son los otros los que la causan. Tome responsabilidad tanto por crear como por reducir su propia ira.*

Una persona que se enoja fácilmente no ve la causa de su ira dentro de sí misma, por lo general la atribuye a la

---

* El DSM es el *Diagnostic And Statistical Manual Of Mental Disorders, 4th Edition, Text Revision 2000 (Manual de dianóstico y estadistica para las enfermedades mentales, 4th edición, texto revisado 2000)*, publicado pr La Asociación de Psiquiatría. Todavía no enumera o describe tipos de trastornos de ira como lo hace con la ansiedad y las trastornos depresivos.

conducta de los demás. Marcos, acababa de encender su cigarrillo cuando de pronto le dio un puñetazo a la mesa de la cocina. Luego de calmarse, le explicó que su esposa no había notado que la ceniza se acumulaba en su cigarrillo y no había alcanzado un cenicero. No se veía a si mismo con un problema de ira. Creía que su esposa tenía el problema porque no le habia traído el cenicero y no se habia anticipado a sus necesidades. Las creencias irracionales de Marcos incluyen: "*Ella debiera mostrarme que me quiere prestando atención a lo que yo necesito. Si no me presta atención como debiera, es horrible, no-lo-puedo-soportar,...¿por qué me casé?*" La gente que se enoja fácilmente a menudo perjudica sus relaciones amorosas.

Las personas con ansiedad y depresión continuas por lo general admiten que tienen un problema o un trastorno. Sin embargo, la gente con una ira severa y continua, por lo general no admiten tener un problema emocional. Sienten que el problema es el evento exterior, la situación, o la persona que provocó su ira. La gente que cree que no tiene control sobre su ira, en realidad no lo tiene.

La ira y otras respuestas emocionales están determinadas por lo que creemos y nos decimos a nosotros mismos sobre los acontecimientos desagradables. No obstante, ¿cómo puede una persona no estar enojada por un acontecimiento duradero tal como la muerte o el asesinato de un ser querido? Veamos las reacciones emocionales de los miembros de una familia que afrontaron un acontecimiento trágico.

"*¡EL ASESINO TIENE QUE SER ENCONTRADO Y CASTIGADO!*"
El cuerpo de Carla fue encontrado en el desierto luego de ser asesinada por un asaltante desconocido. Sus padres, luego de llorar su muerte por varios meses, aceptaron la tragedia sin exigir que eso no hubiera sucedido. Comenzaron a reanudar sus vidas.

En cambio, el hermano de Carla, Miguel, jamás aceptó su muerte y se repetía continuamente a sí mismo y a los demás: "el asesino tiene que ser encontrado y castigado". Lo consumía su ira y estaba obsesionado con una muerte injusta. Los amigos de Miguel comenzaron a evitarlo y su evaluación en el trabajo fue pobre. Su reacción fue deprimirse y enojarse aún más.

Miguel y sus padres reaccionaron de manera diferente a la misma tragedia. Lo que se dijeron a sí mismos sobre la muerte de Carla determinó el que aceptaran la tragedia como una realidad dolorosa y se entristecieran o que se negaran a aceptarla y se dejaran consumir por la depresión y la furia.

Miguel constantemente se repetía a sí mismo: "Ella no debiera haber sido asesinada. El asesino tiene que ser encontrado y castigado, y si no lo encuentran, es horrible, y no-lo-puedo-soportar". La vida de Miguel se consumía con la depresión y la ira. De las 11 creencias irracionales, las que más frecuentemente causan sufrimiento son las siguientes. (Las que se incluyen primero son las que influyeron más a Miguel):

#9. **Mi historia pasada es la causa principal de mis sentimientos y conductas presentes, aquello que en el pasado me influyó mucho, sigue teniendo la misma influencia.**

#5. **No puedo hacer gran cosa con mi ansiedad, ira, depresión, e infelicidad porque mis sentimientos son consecuencia de lo que me sucede.**

#3. **El mundo debiera ser justo: La gente debiera actuar con justicia, pero como esto no sucede, la gente es mala, perversa, infame, o increíblemente estúpida; debiera ser severamente criticada y castigada.**

#4. **El mundo debe ser fácil: Es horrible y terrible cuando las cosas no son como yo espero.** (Las once creencias irracionales restantes se describen en el Capítulo Seis).

Miguel impidió el poder sanador *del paso del tiempo* al negarse a aceptar la muerte de su hermana. Constantemente se adoctrinaba a sí mismo: *"Ella no debiera haber sido asesinada... es horrible, y no-lo-puedo-soportar"*. Esfuércese en cambiar lo que puede. Pida serenidad para aceptar lo que no puede cambiar.

Aprendiendo a Manejar la Ira con los ABCs

A Acontecimiento activador

"*¡Y que no me llame más!*"

B Creencias y conversaciones mentales

"*¿Por qué la gente hace cosas como estas? Debiera haber una ley en contra de esto. ¡Esa llamada me irritó mucho, no debiera haber sucedido, pero como ya sucedió, es horrible, y no-lo-puedo-soportar!*"

C Consecuencias emocionales y conductuales

"*¡Estoy furiosa como !!*#@! Detesto estas ventas telefónicas. ¡Son tan odiosas como las cartas y los faxes con propaganda! ¡Esa !!*#@! gente piensa que soy tonta y que quiero gastar mi tiempo!*"

D Disputa

"*Ahí estoy, otra vez enojándome. Es difícil de recordar que no son las situaciones las que causan mi enojo sino yo misma, con lo que me digo a mí misma sobre la situación*". *Esa llamada fue incómoda, pero para nada terrible. Necesito cuidar mi presión arterial*".

La Ira: sus Mitos y Realidad

Varios mitos perpetuan y refuerzan nuestras creencias irracionales sobre la ira y cómo manejarla (Borcherdt, 1989). Veamos esos mitos y la realidad.

Mito #1: *"La ira es causada por un evento, una situación, o la conducta de otra persona, todas situaciones fuera de uno mismo. La gente no tiene control sobre su ira, la ira es algo que le sucede a uno."*

Realidad: Somos responsables de nuestra propia ira, tanto de sus causas como de cómo se maneje. Si creemos que no somos responsables de nuestra ira, la manejaremos pobremente y ella nos manejará a nosotros.

La Perspectiva del ABC de Nuestra Ira nos muestra cómo los eventos (y la gente) desagradables sólo provocan nuestras creencias irracionales, como son nuestras creencias irracionales y conversaciones mentales las que causan nuestros sentimientos y conductas coléricas.*

Perspectiva del ABC de Nuestra Ira

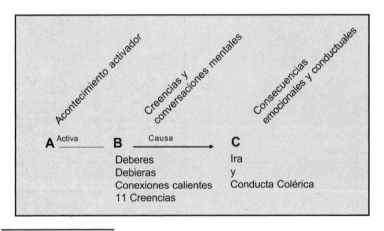

---

* Una cinta de audio interesante es "¿Qué hago con mi ira, la guardo o la expreso? (What to I Do With My Anger: Hold It Or Let It Out?) de Raymond DiGiuseppe (1989) se puede conseguir a través del Insituto para la Terapia Racional Emotiva y Conductual de Albert Ellis. <http:/www.rebt.org>

Mito #2: "*Es sano el expresar la ira. Me siento mejor luego de haber expresado mi ira*".

Realidad: Tanto el sentirnos enojados y expresar la ira o no expresarla puede tener consecuencias en nuestra salud. Entre ellas estan los problemas cardíacos, alta presión (que lleva a derrames cerebrales), síntomas gastrointestinales, depresión del sistema inmunológico, y otros problemas de salud.

Algunas veces hay un alivio breve, inmediato y placentero luego de haber expresado la ira. La ira nos da un sentimiento temporario de fortaleza, poder, y control, ocultando así los sentimientos de dolor, rechazo, impotencia, e ineptitud. Cuando expresamos la ira, nos sentimos que estamos manejando un problema práctico (por ejemplo haciendo que una persona que se está comportanto incorrectamente, corrija su conducta). Una persona que se enoja fácilmente y que está obsesionada con la ira, está también obsesionada con el sufrimiento.

Mito #3: "*Mis dos únicas opciones con respecto a la ira o bien expresarla o guardarla*".

Realidad: De hecho hay otra opción. Bajar, reducir, o rechazar su ira en lugar de expresarla o guardarla. Practique el rechazar su ira modificando sus creencias irracionales y conversaciones mentales.

El expresar el enojo no significa liberarse de él. El expresar la ira es practicarla. El practicar la ira lo hace más vulnerable a enojarse y expresar su ira cuando se sienta frustrado en el futuro.

QUE HACER CON LA IRA- TRES OPCIONES:
GUARDARLA
EXPRESARLA
BAJARLA

Mito #4: "*El expresar la ira atrae la atención de los demás, hace que uno consiga lo que quiere, y reduce las posibilidades de que los demás se aprovechen de uno. La* *gente necesita que se la confronte cuando obra mal y que también se le de una lección".*

Realidad: El expresar mucho su ira o amenazar con expresarla, por lo general consigue lo que usted quiere, pero por corto plazo.

A largo plazo, las expresiones graves de ira dañan las relaciones e invitan al destinatario de su ira a que guarde resentimiento o a buscar represalias. Los estallidos de ira generan resentimiento, amargura, y distancia en las relaciones. La ira engendra ira.

Si usted está en una posición de poder sobre otra persona y expresa mucha ira, es posible que esa persona le devuelva la ira. Sin embargo, las personas que están en una posición de subordinación con frecuencia se vengan de sus ataques de ira de una manera oculta, a veces socavando metas importantes.

SEA FIRME SIN ENOJARSE.

Reemplace la ira con firmeza y disgusto. Afirme y plantée sus sentimientos o derechos sin manifestar mucha ira o emoción intensa. Sea firme en lugar de colérico.

Póngase enojado y estúpido o disgustado y perspicaz. Usted va a pensar con más claridad cuando esté disgustado (un estado emocional menos intenso que la ira) y va a resolver los problemas más eficazmente. La observación: "*La gente cuando se enoja se pone estúpida*" es precisa. Maneje su ira o ella lo manejará a usted.

NO SE PONGA COLÉRICO,
SINO SIMPLEMENTE DISGUSTADO.

LA IRA - ¿GUARDARLA O EXPRESARLA?

"¿Qué hago con mi ira, le pongo la tapa o dejo que hierva y se derrame?" Respuesta: *"¡Baje el fuego!"*

Usted controla la intensidad de su ira a través de lo que cree y se dice usted mismo sobre un evento o conducta de otra persona que lo disgusta y le causa malestar. Sus conversaciones mentales y creencias controlan su ira como la perilla regula la temperatura.

Además, así como usted sacaría la olla hirviente de quemador de la cocina, apártese de la situación que lo disgusta y que está provocando su ira.

Los padres con frecuencia se frustran con sus hijos. Lamentablemente, muchos padres tratan de manejar a sus hijos usando distintas formas de ira. Hay padres que gritan, amenazan con perder el control, usan castigos físicos, amenazan con castigar severamente, usan mucho sarcasmo- - todos métodos infructuosos para manejar a los niños. Los niños observan de cerca e imitan la conducta de sus padres. Si su hija ha observado mucha ira en usted, estará más inclinada a gritar, perturbarse emocionalmente, amenazar, hablar con sarcasmo, y manejarla a usted o a los demás físicamente.*

Las dos fuentes comunes de la ira son la baja tolerancia a la frustración y las amenazas a la auto-estima. Consideremos primero la BTF.

La Baja Tolerancia a la Frustración (BTF): Fuente Principal de la Ira

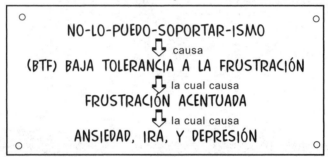

La baja tolerancia a la frustración de la que se habló en el Capítulo Cinco y en otras secciones de SOS, causa que muchas personas se encolericen. El creer que usted debe absolutamente conseguir lo que quiere y si no lo consigue es horrible y no-lo-puede-soportar causa impaciencia, baja tolerancia a la frustración, frustración acentuada, e ira. Reemplace la creencia en que la situación es horrible o catastrófica con la creencia de que es incómoda y fastidiosa. Cuando se hable a usted mismo sobre situaciones frustrantes, use conversaciones mentales frescas, tales como "incómoda" o "fastidiosa".

Las situaciónes comunes que provocan BTF incluyen: el tratar con gente poco dispuesta, tener dificultades con su computadora, esperar en una fila lenta en el cajero, esperar en embotellamientos de tránsito, que alguien lo corte en el tráfico, o que se quede encerrado afuera de su auto.

* *SOS Ayuda para Padres*, un libro para padres de niños entre los dos y doce años, de Lynn Clark y publicado por SOS Programs y Parents Press. SOS Ayuda para Padres enfatiza la importancia de que los padres sean buenos modelos para sus hijos. El libro es de especial ayuda para manejar la conducta de los niños con un temperamento fuerte. Vea en las últimas páginas de este libro y visite la página de internet: <www.sosprograms.com>

Amenazas a la Auto-Estima:
Una de las Fuentes Principales de la Ira

Las personas con frecuencias responden con ira cuando perciben que los otros están intentando bajar su auto-estima, su auto-aceptación, y su amor propio (Dryden, 1990). La extensión de su ira es por lo general, proporcional al grado en que dudan de su propio valor.

Las situaciones que amenazan la auto-estima pueden ser: que no lo reconozcan en la escuela, que los compañeros de trabajo o supervisores lo critiquen, y que uno reciba comentarios negativos sobre la apariencia propia, sobre las posesiones, conductas o ideas.

Esfuércese en aceptarse, reconozca que el aumento de ira puede estar relacionado con sentimientos de auto-estima que se ven amenazados. Luche por creer que "*Mis sentimientos de auto-estima y amor propio son ampliamente independientes de las afirmaciones y pensamientos de los otros*".

La ira puede estar dirigida a cualquiera de estos tres objetivos: uno mismo, los demás, y el mundo (Dryden, 1990). El mundo incluye *las circunstancias en que uno vive*. Veamos primero la ira dirigida a los demás.

Tres Objetivos de Nuestra Ira: Uno Mismo, los Otros, y el Mundo

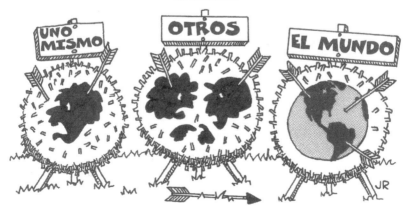

Ira hacia los otros: Esta ira resulta de creer: "*Tú (el o ella) DEBES y si no lo haces, entonces no-lo-puedo-soportar y tu debieras ser condenado*". La ira con frecuencia es causada por nuestras percepciones de malas acciones de los otros y por creer que *no deben* comportarse mal. El ver a los otros como frustrantes o amenazantes a nuestra auto-estima son provocaciones comunes de nuestra ira.

Las personas con las que más comunmente nos enojamos con nuestros familiares, amigos, personas con las que estamos envuelvos de manera romántica, compañeros de trabajo, supervisores, maestros, y otras personas cercanas.

Evite el desplazar su ira en una persona que no tiene la culpa. *El desplazar la ira es sentirse enojado con una persona o situación determinadas y expresar la ira con otra persona que no tiene nada que ver.* Un ejemplo puede ser un hombre que es criticado por su jefe, le grita a su esposa, lo reta a su hijo, y maltrata al perro.

Las personas son seres humanos falibles que por lo general se comportan de la manera que quieren, no de la manera en que nosotros queremos que se comporten. La gente es capaz de comportarse de mala manera o en contra de nuestros intereses, y en general tenemos poco poder para influir en su conducta. Hay algunas leyes que exigen que la gente se comporte de una manera determinada pero estas leyes se refuerzan muy raramente.

Ira hacia el mundo y las condiciones en las que vivo: Las creencias que causan este tipo de ira pueden ser: "*El mundo debe ser justo y fácil, y si no lo es, es horrible, no-lo-puedo-soportar, y el mundo debiera ser condenado y maldito*".

Usted oye que la gente dice: "*El que se pinchara el neumático de mi auto me arruinó el día*", o "*Mi computadora no funciona, no-lo-puedo-soportar*". Cuando se sienta amargado e irritado porque está exigiendo que el mundo le de lo que quiere, considere sustituir sus exigencias por preferencias y deseos.

Cuando usted expresa mucha ira hacia el mundo, un objetivo no intencional de su ira es usted mismo. Una persona descubrió esto de manera dolorosa. Uno hombre se enojó con su salamandra de hierro, apuntó su pistola y disparó directamente a la salamandra. La bala rebotó y le dio en el estómago. Es común que la ira desatada contra el mundo y los demás rebote y el tiro salga por la culata. La ira es auto-destructiva y por lo general "lo que sembramos, cosechamos" y vuelve a nosotros.

Los sentimientos intensos de frustración e ira debilitan nuestra paciencia. Necesitamos paciencia para entender y resolver problemas complejos tales como los problemas en las relaciones. Luche por adaptarse y tener exito en un mundo que es falible y evite disgustarse y quejarse por sus faltas, errores, e injusticias.

ENOJADO CON EL MUNDO:
EXIGIENDO QUE EL MUNDO SEA FÁCIL Y JUSTO

La ira puede ser el resultado de ser muy exigente. Exigir que el mundo sea justo y fácil y cuando no lo es, condenarlo y maldecirlo. Luche por mejorar su vida pero evite el <u>exigir</u> que sus deseos siempre sean satisfechos.

Para aumentar su satisfacción y disminuir su ira, cambie sus exigencias de conseguir lo que quiere por preferencias y deseos.

Enojado con uno mismo: a menudo la gente se exige a sí misma y cuando no responde a esas exigencias, se auto-condena y maldice. Emilia, una joven estudiante universitaria en los primeros años de su carrera, creía que debía absolutamente sacar una "A" en su examen de historia. Cuando no llegó a la "A" por dos puntos, "*como no debiera haber fallado*", se enojó consigo misma y se sintió desolada. Otras personas se enojan consigo mismas porque no tienen el trabajo o el ingreso al nivel que creen que *debieran tenerlo*.

Usted no podrá controlar su ira en tanto no controle las creencias que la sostienen

Nos podemos enojar con nosotros mismos cuando violamos nuestras propias reglas o el estándar de conducta que nos hemos fijado y exigimos que eso no haya ocurrido. La culpa es el resultado de haber quebrantado nuestro propio código moral y de condenarnos por haberlo hecho. No permita que el enojo con usted mismo y la culpa se conviertan en depresión. En lugar de enojarse y deprimirse, perdónese a usted mismo y decida esforzarse más en el futuro.

Reemplace la ira con aceptación de sí mismo y aceptación de los demás como seres humanos falibles. La aceptación es "una actitud incondicional de no juzgar a los demás y a uno mismo; y es también el reconocimiento de que lo que existe tiene que existir en las condiciones dadas en el momento presente (Dryden y Neenan, 1994)". Esfuércese por mejorar, pero acéptese, acepte a los demás y al mundo como seres falibles.

Para vivir con eficacia y éxito, haga un esfuerzo consciente de manejar su ira. Cuando trate de manejar su ira, lo ayudará el recordar que *el mundo es falible, los otros son falibles, y yo soy falible*.

REEMPLACE LA IRA CON FASTIDIO.

Desencadenantes de la Ira

IRA POR AMOR PROPIO

"En el pasado creía que los demás jamás debían despreciarme y si lo hacían, me sentía sin ningún valor y no-lo-podía-soportar. ¡A causa de esta creencia me metí en muchas peleas! Estoy esforzándome en aceptarme a mí mismo e ignorar lo que los otros dicen o piensan".

VALORAR LA AGRESIVIDAD

"En parte me gusta enojarme, pelear, y ser la chica más agresiva de la escuela. Tengo una "reputación" y un "respeto". Pero me temo que no tengo muchos amigos".

FRUSTRACIÓN E IRA

"Me arrepiento de haber abusado físicamente de mi esposa cuando me sentía frustrado y creía que debía controlarla. En la terapia aprendí a controlar mi ira al aceptar que yo soy el único responsable por mi ira, y no mi esposa".

La ira es frecuentemente desencadenada por nuestra baja tolerancia a la frustración y por amenazas a nuestro amor propio (auto-estima). Nuestras creencias y conversaciones mentales son las que causan nuestra ira, no lo que los demás digan o hagan.

Cambie sus exigencias de que los demás hagan lo que usted quiere en preferencias o deseos de que hagan lo que usted quiera. Use estas dos palabras cuando se hable a usted mismo: "deseo" y "preferencia". Su ira se convertirá en fastidio, una emoción más sana y más fácil de manejar.

Alguna gente con problemas de ira le da valor a la agresividad y la dureza. De adultos, corre el riesgo de sufrir de falta de adaptación emocional.

ALIMENTANDO LA IRA

"No creo que éstas vayan a sanarse nunca... sigo toqueteándolas y no pasa nada... me gusta bastante toquetearme ésta de aquí abajo".

Con frecuencia la gente alimenta su ira adoctrinándose con creencias y conversaciones irracionales y pensando demasiado en las faltas de los demás.

USE LOS MÉTODOS DE SOS
PARA "DES-ENOJARSE".

¿Qué persona cree usted que tendrá más éxito en el logro de sus metas en la vida, la Persona A o la Persona B? ¿Qué persona posiblemente experimente más conflicto con su empleador, su esposo, o sus hijos?

Persona A: *"¡Cada día que pasa hace que ponga una !!#@*&! en mi lista de gente de la que quiero vengarme!"*

Persona B: *"¡Voy a aprender a dejar de disgustarme demasiado con la !!@#$&! gente que me encuentro!"*

LA IRA USADA COMO UN INSTRUMENTO
PARA CONSEGUIR LO QUE UNO QUIERE

"¡Dame un Coca-Cola! "¡Dame una Coca YA MISMO!"
(del DVD video de SOS) <www.sosprograms.com>

La ira instrumental es la que uno usa como instrumento o palanca para presionar a los demás y conseguir lo que uno quiere. Lamentablemente, hay padres que sin querer premian a sus hijos por usar la ira y la agitación emocional como un instrumento para controlar a la familia y a los demás.

Por ejemplo, sólo cuando Miguel expresa mucha ira, entonces la madre le da no sólo la Coca sino también el helado. Más temprano ella le había dicho que no "habría postre" porque no comió su cena.

¿Qué es lo que Miguel cree y se dice a sí mismo que hace que actúe de manera agresiva? A un nivel bajo de auto-conciencia, Miguel se dice a sí mismo: "*Mamá tiene que darme esa Coca y si no me la da, es terrible, no-lo-puedo-soportar. ¡Tengo que tener esa Coca! ¡Me voy a enojar mucho y ella tendrá que dármela!"*

Sin querer, Miguel ha aprendido a usar la agitación emocional y la ira para conseguir lo que quiere. Si este modo de pensar y actuar se vuelve un hábito, Miguel tendrá un alto riesgo de experimentar problemas emocionales y conductuales como adolescente y como adulto.

Si desea ver un clip del video que presenta este ejemplo (tanto en Inglés como en Español) y soluciones para los padres, vaya a "Rewarding Bad Behavior" (Recompensando la Mala Conducta) en el sitio de internet: <www.sosprograms.com>

Cómo "Des-enojarse"

Cuando se sienta enojado, examine sus conversaciones mentales que están causando la ira. Interrumpa y maneje los sentimientos de ira con las ayudas, técnicas, e ideas siguientes:*

- **Reconozca que sus creencias y conversaciones mentales están causando su ira** y no los acontecimientos reales, las faltas de los demás, los eventos frustrantes, u otros problemas prácticos (o sea, acontecimientos activadores). Somos responsables por nuestra propia ira.

- **Trate primero su problema emocional** (su malestar y enojo) antes de tratar de resolver el problema práctico (el acontecimiento activador, o la persona que lo está irritando)

- **Haga una lista con dos columnas con las ventajas y desventajas de renunciar a su enojo con una persona en particular** (Burns, 1999).

- **Reemplace la ira y la furia** (emociones malsanas) **con fastidio o una leve irritación** (emociones más sanas). Reemplace el sentirse enojado y muy frustrado con alguien, con un sentimiento de fastidio hacia esa persona.

- **Reemplace ira con reafirmación personal.** Afirme y declare sus sentimientos o derechos sin manifestar mucho enojo o una emoción intensa mientras lo haga.

- **Minimice sus exigencias con usted mismo, con los demás, y con el mundo.** Reemplace los tres deberes principales ("*yo debo... ella debe... el mundo debe...*") con *preferencias* y *deseos*. Cuando se hable a usted mismo sobre lo que parece irritarlo, use palabras tales como "*prefiero..., quiero...,*

_____

* En el Capítulo Cuatro se han explicado estas técnicas con más detalle.

deseo..., " Estas palabras llevan a más estabilidad emocional. Preste atención a lo que se dice a usted mismo sobre usted, sobre los otros, y sobre los eventos o situaciones.

• Acepte que las situaciones y eventos que existen a un tiempo determinado tienen que existir, dadas las condiciones y fuerzas presentes en ese momento. Esfuércese en mejorar esos eventos en el futuro.

• **Minimice su condena y maldición, sus no-lo-puedo-soportar-ismos, su catastrofismo (las tres conexiones calientes) y mejore su baja tolerancia a la frustración (BTF) y baja auto-aceptación (BAA).**

• **Abandone la creencia de que expresar la ira es saludable.** La ira causa enfermedades cardiovasculares y alta presión (que lleva a derrames cerebrales, etc.) La ira es auto-destructiva; el expresar una irritación leve y disgusto puede ser sano.

• *Baje su ira* **en vez de expresarla o guardarla.** El expresar su ira es practicarla para el futuro. En lugar de ira, exprese disgusto. Mejore su comunicación y auto-afirmación.

• **Cuando esté disgustado, use lenguaje emocional fresco cuando se hable a usted mismo.** Evite la condena y maldición en las conversaciones mentales.

• **Practique mentalmente lo que va a decir y hacer cuando confronte situaciones que usted piensa que podrían provocar su ira.**

• **Use afirmaciones de afrontamiento** como: "*Aunque eso no me guste, no hay inconveniente. Igual,lo puedo soportar*". Cuente hasta 10, hágalo otra vez.

• **Si es posible, abandone temporariamente la situación que provoca su ira.** Hágalo particularmente cuando esté furioso.

- **Utilice distracción, diversión, y entretenimiento** para ocuparse temporariamente en algo placentero. Esto lo ayudará a sentirse menos enojado por corto tiempo.

- **Evite deprimirse o enojarse más por estar enojado** (lo cual se llama problema secundario en el Capítulo Seis). Evite creer: "*No debo enojarme y como estoy enojado, y eso no debe suceder, no valgo nada, y me siento todavía más enojado*". Acéptese y no se juzgue si usted se enoja más frecuentemente de lo que desearía.

Para reducir el disgusto y la ira a largo plazo puede hacer también lo siguiente:

- **Piense en ver a un terapeuta.**

- **Complete** *el Formulario del Auto-Análisis y Mejoramiento del ABCDE de la Ira.* Repase también el ABC de Nuestra Ira.

- **Mantenga un Registro del Humor Diario para entender mejor sus emociones.** Reconozca que los sentimientos de ansiedad y depresión casi siempre acompañan a los de ira.

- **Detecte e identifque sus creencias y conversaciones mentales irracionales** que son las principales responsables de su ira, depresión y ansiedad. Cuando busque las creencias irracionales que causan su ira, preste atención a sus exigencias con el mundo, su insistencia en que los demás actúen de una manera determinada, lo tres deberes principales, las cinco conexiones calientes, y las 11 creencias irracionales.

- **Discuta y arranque sus creencias irracionales y conversaciones mentales.** Profundice su convicción en la fuerza auto-destructiva de sus viejas creencias irracionales y conversaciones mentales que causan ira.

El Formulario de Auto-análisis y Mejoramiento del ABCDE

Fecha: _____

A Acontecimiento Activador (Situación o evento desagradables; pueden ser eventos anticipados):

B Creencias y Conversaciones Mentales (Sus creencias y conversaciones mentales irracionales, especialmente sus debo, debieras absolutos, y las cinco conexiones calientes):

C Consecuencias Emocionales y Conductuales (Sus emociones desagradables y conductas inadaptadas):

Emociones:

Conducta (o conducta contemplada):

D Disputa y Debate (Disputar sus creencias irracionales y conversaciones mentales, especialmente sus deberes, debieras absolutos, y las cinco conexiones calientes):

E Efectos (Efectos del discutir: Nuevas emociones y conductas):

Copie este formulario. Complete los pasos en este orden: A, C, B, D, y E. Cuando esté disgustado, siga los métodos de auto-ayuda de los Capítulos 4 y 5. Cuando complete la B, busque sus deberes, debieras absolutos, y cinco conexiones calientes. Fíjese si usted está también creyendo cualquiera de las 11 creencias irracionales que se describen en el Capítulo Seis.

El Registro del Humor Diario:
Registro de la ansiedad, la ira, y la depresión

En una escala de 1 a 10 escriba el número que corresponde al promedio de su humor diario. Leve is 1 a 3, moderado es 4 a 5, alto es 6 a 8, y grave es 9 a 10.

Fecha/ hora	Ansiedad	Ira	Depresión	Notas

Las instrucciones siguientes describen cómo se mantiene un Registro del Humor Diario.

Primero, decida cuál de las emociones básicas va a registrar. Preste mucha atención a esas emociones. Registre el promedio aproximado de su humor correspondiente a las emociones que ha seleccionado para monitorear. Hágalo cada día. Entre anotaciones que lo ayuden a comprender mejor sus emociones.

Lo Fundamental que Hay Que Recordar

• Maneje su ira o ella lo manejará a usted. Usted no podrá controlar su ira mientras crea que otros la causan.

• No es la situación (el acontecimiento activador) lo que nos enoja, sino lo que creemos y nos decimos a nosotros mismos (creencias y conversaciones mentales) sobre la situación.

• Nuestras exigencias (o deberes, y debieras absolutos) que ponemos sobre nosotros mismos, sobre la conducta de los demás, y sobre el mundo, son la causa principal de nuestro disgusto y nuestra ira.

- Dos fuentes comunes de la ira son la baja tolerancia a la frustración y las amenazas a nuestra auto-estima.

- Tres objetivos de nuestra ira son: nosotros mismos, los otros, y el mundo.

- Tenemos tres opciones básicas sobre lo que podemos hacer con nuestra ira: *Guardarla, Expresarla, o Bajarla.* El creer que "*es sano expresar nuestra ira*" es un mito.

- La gente puede usar la ira y la agitación emocional como un instrumento o palanca para conseguir lo que quiere. Este tipo de ira se llama instrumental.

- ¡No se enoje, moléstese! Reemplace la ira y la furia (emociones malsanas) con fastidio e irritación leve (emociones más sanas).

- Cuando esté enojado, complete *el Formulario de Auto-Análisis y Mejoramiento del ABCDE* para entender y manejar mejor su ira.

CUALQUIERA PUEDE ENOJARSE. ESO ES FÁCIL. PERO ENOJARSE CON LA PERSONA ADECUADA, EN LA MEDIDA ADECUADA, POR LA RAZÓN ADECUADA, Y DE LA MANERA ADECUADA, ESO NO ES FÁCIL.

ARISTÓTELES

LEA, ESTUDIE, PRACTIQUE SOS

Capítulo 9

Manejando la Depresión

LA DEPRESIÓN NUBLA NUESTRO PENSAR Y SENTIR

"*No puedo ver los problemas y desafíos de la vida con claridad cuando estoy con este humor*".

El humor depresivo nubla nuestro pensamiento y nuestra habilidad para evitar, manejar, y resolver problemas. Además no hace sentir amargados. La depresión es causada en buena parte por nuestras creencias y conversaciones mentales.

En este capítulo vamos a considerar la diferencia entre la depresión como problema y la depresión como trastorno. Veremos distintos tipos de trastornos depresivos, las causas de la depresión, incluyendo pérdidas significativas, baja auto-estima, creencias irracionales, y modos específicos en que podemos prevenir y manejar la depresión.

La depresión puede ser un problema o un trastorno. Como problema emocional desagradable, la depresión es pasajera y no interfiere significativamente en la vida de uno. Sin embargo, la depresión puede convertirse en un trastorno persistente y severo que causa una angustia emocional significativa e impedimentos en el funcionamiento en los ambitos familiar, educativo y vocacional.

La depresión como trastorno está "... caracterizada especialmente por tristeza, inactividad, dificultades en la concentración y el razonamiento, por un aumento o disminución significativos en el apetito y en el tiempo que uno pasa durmiendo, por sentimientos de abatimiento y desesperación, y a veces, por tendencias suicidas (Webster, 1996)". La depresión tambié supone "... sentimientos de tristeza, desesperación, desaliento, ... lentitud de pensamiento, disminución del placer, disminución de la actividad física intencional, culpa y desesperanza, y trastornos en el comer y el dormir" (Glosario Psiquiátrico, 1994)*

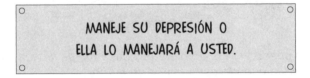

MANEJE SU DEPRESIÓN O
ELLA LO MANEJARÁ A USTED.

Las personas deprimidas por lo general sienten una mezcla de ansiedad e ira con su depresión. Aunque los sentimientos desagradables son principalmente los relacionados con la depresión, sentimientos de ansiedad e ira por lo común también están presentes.

---

* DSM es el Manual Estadístico y Diagnóstico de Trastornos Mentales, 4ta. edición, Revisión del Texto, 2000 (The Diagnostic and Statistical Manual of Mental Disorders, 4th Edition, Text Revision, 2000) y el Glosario Psiquiátrico es el "American Psychiatric Glossary", 1994, ambos publicados por la Asociación Psiquiátrica Americana. Las descripciones de los trastornos depresivos de los adultos están basadas principalmente en estas fuentes.

PASTEL DE SENTIMIENTOS DESAGRADABLES

Cuando usted se siente deprimido, es muy posible que también sienta algo de ansiedad e ira. Muchas personas no tienen conciencia de que está experimentando estas emociones desagradables.

Las causas de la depresión incluyen: el enfrentar desilusiones o alguna pérdida significativa (perder el trabajo, una relación, el esposo/a, la buena salud); y el exigir sin cesar que esa desilusión o pérdida no haya ocurrido. Incluye también el experimentar varios acontecimientos negativos (acontecimientos activadores desagradables); y el practicar pensamientos y conversaciones mentales irracionales y calientes. La depresión es también causada por una visión negativa de uno mismo, de los demás, del mundo, y del futuro (Beck y Rush, 1995).

Para algunos, la depresión puede ser en parte biológica. Un desequilibrio en los neurotransmisores o mensajeros químicos entre las neuronas en el cerebro puede predisponer a la depresión. El trastorno bipolar también se piensa que es un desequilibrio en los neurotransmisores del cerebro. Condiciones físicas tales como una tirodes inactiva pueden ocasionar problemas de depresión. Pregunte a su doctor si usted necesita un examen físico.

Para comprender y manejar la depresión utilice los métodos y habilidades que se presentan en SOS. Para mejorarse más pronto, también piense en ver a un terapeuta.

Hable con su doctor o un psiquiatra sobre los medicamentos para la depresión. Para algunos, la medicación puede ser de mucha ayuda, especialemente cuando la depresión es grave. Cada año se producen mejores antidepresivos. Si usted comienza a tomar medicamentos, recuerde que los antidepresivos por lo general toman dos semanas para empezar a actuar en la depresión, no deje de tomarlos.

Para aliviar el dolor de la depresión hay gente que empieza a tener problemas con el alcohol o las drogas. No obstante, el tratar de calmar los sentimientos de depresión con drogas no recetadas o con alcohol siempre aumenta la depresión y acrecienta los problemas en la vida. Las drogas no recetadas y el alcohol también crean conflictos con los demás.

Los niños y los adolescentes presentan muchos de los mismos síntomas de depresión que los adultos. Sin embargo, los niños y adolescentes con más frecuencia muestran irritabilidad e ira cuando están deprimidos.

Veamos los distintos tipos de trastornos depresivos. Como se dijo anteriormente, tenga cuidado con la "enfermedd del estudiante de psicología" que cree tener la mayoría de los trastornos sobre los que está leyendo.

PARA ARREGLAR SUS EMOCIONES,
ARREGLE PRIMERO SUS CREENCIAS
Y CONVERSACIONES MENTALES.

LEA, ESTUDIE, PRACTIQUE SOS

La Depresión Temprano en la Mañana

A Acontecimiento activador

B Creencias y conversaciones mentales

Activa
Provoca
$\Longrightarrow$

"*Este es el día que he estado temiendo*". (Acontecimientos activadores pueden ser aquellos que se anticipan).

"*Es terrible, <u>no-lo-puedo</u> hacer otra vez... <u>Siempre</u> pasa, semana tras semana... ¡No <u>debiera</u> tener que hacerlo! ¡El pensar en cortar el césped <u>siempre</u> me deprime!*"

Causan

C Consecuencias
emocionales y conductuales

D Disputa

"*Me estoy sintiendo realmente desanimado y deprimido. No me puedo levantar, estoy agotado. Pero si me quedo en la cama, tendré que hacerlo más tarde*".

"*Me estoy poniendo bien deprimido. Prefiero no cortar el césped, pero <u>no</u> es tan <u>terrible</u> y <u>puedo</u> <u>soportarlo</u>. Lo que me digo a mí mismo puede influir mucho en mi estado de ánimo*".

Cinco Tipos de Trastornos Depresivos

Para poder satisfacer los criterios para cada uno de los trastornos depresivos siguientes, un persona necesita experimentar una afflicción emocional significativa o sentirse afectada en las áreas familiar, educativa, vocacional, o social.

Trastorno Distímico: Un humor depresivo considerable, continuo, que se presenta casi diariamente y durante dos o más años. La persona puede tener varios de estos síntomas: baja aceptación de sí misma, baja auto-estima, el sentirse despreciable o incompetente, poca concentración, desesperación, sentimientos de culpa inadecuados, lástima de uno mismo, disminución del nivel de actividad, pérdida de interés en actividades placenteras, volverse más callado y retraído, e irritarse fácilmente.

Los síntomas físicos del trastorno distímico incluyen: falta de apetito o sobrealimentación con un cambio de peso, problemas para dormir o dormir demasiado, y fatiga.

Trastorno Depresivo Mayor: Un humor depresivo grave y síntomas que hayan estado presentes por lo menos durante dos semanas o más. El ánimo y los síntomas depresivos son mucho más profundos que en el trastorno distímico. Algunas personas desafortunadas experimentan más de un episodio de trastorno depresivo durante su vida.

Para la depresión grave, la medicación antidepresiva por lo general es de gran ayuda y parte esencial del tratamiento. La hospitalización puede ser necesaria y recomendable en algunos casos.

Trastorno Bipolar (maníaco-depresivo): El trastorno bipolar es una alteración grave del humor que incluye: un humor y conducta maníacos, un humor y conductas depresivos, y un humor y la conducta normales, todos ellos alternando unos con otros. El humor y conducta de la persona pueden ser predominantemente maníacos o predominantemente depresivos, aunque los dos extremos pueden ocurrir. Cuando está en un estado maníaco o depresivo, el funcionamiento de la persona está gravemente afectado en las áreas familiar, vocacional, educativa, y social y con frecuencia necesita ser hospitalizada por su propio bien.

En el pasado, los psicólogos y psiquiatras llamaban enfermedad maníaco-depresiva al trastorno bipolar, pero ya no usan más ese nombre.

La conducta maníaca es cuando el humor de la persona está muy agitado o exageradamente expansivo. Pueden presentarse cualquiera de estos síntomas maníacos: una auto-estima exagerada, marcada disminución en la necesidad de dormir, locuacidad, irritabilidad, pensamientos acelerados, falta de atención y concentración, un nivel de actividad exageradamente alto, aumento de la actividad sexual, conductas insensatas, gastar dinero descontroladamente, falta de criterio. A veces la persona se presenta delirante (ideas falsas de sí misma), tal como pensar que es una gran inventora, o que tiene la solución a los problemas del mundo, o que la persigue la CIA.

La persona con trastorno bipolar experimenta tanto humor y conductas depresivos como maníacos. Cuando está deprimida se siente abatida, desesperada, y desanimada. El humor y la conducta depresivos se parecen a los síntomas del trastorno depresivo. Cuando está maníaca, por lo general cree que es muy productiva y creativa. Sin embargo, el humor maníaco es demasiado contraproducente y desorganizado como para ser realmente productivo y creativo.

Lo que causa aflicción a la familia es que la persona maníaca que está en un estado de exitación disfruta de su humor agitado, niega que tiene un problema y se niega a buscar tratamiento. Se irritan mucho cuando sus familiares insisten en que busquen ayuda profesional.

Luego de un episodio de trastorno bipolar, la persona vuelve a la normalidad. Lamentablemente, mucha gente con un pasado de trastorno bipolar lo experimenta de manera recurrente. La medicación para el trastorno bipolar puede ser de gran ayuda en la prevención de episodios futuros.

La Novia de Superman se Topa con el Trastorno
Bipolar

Margot Kidder que actuó el papel de Lois Lane en la
película de Superman durante la década de 1980 reveló
que había experimentado varios episodios de trastorno
bipolar (maníaco-depresivos).*

Margot tuvo cambios de humor repentinos desde su
adolescencia y trató de suicidarse dos veces. Contó que
disfrutaba cuando su ánimo estaba alto y acelerado. No
obstante, odiaba los "bajones" y los efectos destructivos
que causaba el trastorno maníaco-depresivo tanto en
su vida como en la de su hija.

Cierta vez que iba de camino a una conferencia en Los
Angeles, se le ocurrió esta idea de que la CIA la estaba
persiguiendo y que "debía hacerla explotar". Margot
trató de escaparse, se disfrazó, intercambió su traje
caro de Armani con el de otra persona, caminó 40
millas, y vivió con los desamparados de la calle. Luego
de que la buscaran como desaparecida por varios días,
la encontraron aturdida y escondida tras los arbustos en
el jardín de un desconocido.

Margot recibió tratamiento, se recuperó, y unos meses
más tarde fue entrevistada en un programa de noticias
en la televisión. Ella tenía pensado tomar medicamentos
para prevenir una recaída en el trastorno bipolar.

Margot Kidder ha aceptado este trastorno emocional
particular sin condenarse a sí misma y sin exigir que
esto no suceda. Ella dijo: "*En general, he sido bendecida
con una vida maravillosa. Cada ser humano tiene alguna
carga en su vida, en mi caso es el trastorno maníaco-
depresivo. No es más pesado que el de otras personas
es más liviano que el de mucha gente. Es simplemente
la carta que me tocó*".

Trastorno ciclotímico: Es una alteración de la
fluctuación del humor, con muchos períodos de humor
depresivo y otros tantos de humor eufórico y exitado. Para
que uno reciba el diagnóstico de trastorno ciclotímico, este
patrón de fluctuación tiene que durar por lo menos dos años

y causar angustia emocional o impedimento en las áreas de funcionamiento familiar, social, or vocacional. Los extremos del humor no son tan severos como el el trastorno bipolar (maníaco-depresivo). Los demás pueden ser que consideren a la persona con trastorno ciclotímico como alguien temperamental, malhumorada, inestable, e imprevisible.

Trastorno de Ajuste con Depresión: Luego de una situación o evento estresantes, o de una pérdida (acontecimiento activador negativo), la persona desarrolla una depresión grave (sentimientos profundos tristeza, desesperación, y culpa; y dificultad en concentrarse) y se siente impedida en las relaciones con los demás, o impedida en los estudios, el trabajo, o en el trabajo del hogar.

Algunos ejemplos de eventos estresantes y pérdidas incluyen: problemas conyugales, divorcio, que a uno lo despidan del trabajo, el fracasar en los estudios, o caer en bancarrota. La pérdida de una relación significativa es un evento activador común que provoca depresión. Sin embargo las creencias y lo que uno se dice a sí mismo sobre el evento son las causas principales de la depresión.

Porcentajes de Trastornos Depresivos entre los Adultos

Trastornos Depresivos	Indices en la Población General
Trastorno Distímico	4% a 8% de la Población*
Trastorno Depresivo Mayor	12% a 17% de la Población*
Trastorno Bipolar (Maníaco-Depresivo)**	1% a 2% de la Población*
Trastorno Ciclotímico	Indices no se conocen
Trastorno de Ajuste con Depresión	Indices no se conocen

*Indices de un trastorno en la población general durante la vida. Los índices de depresión entre las mujeres son dos veces más altos que entre los hombres. Los hombres son más reacios a pedir ayuda por eso el índice de depresión entre los hombres puede ser no representativo. (Las fuentes on Wilson, G., Nathan, P., O'Leary, K., y Clark, Lee (1996) y Neal, F., Davison, G., y Haaga, D. (1996))

** El Trastorono Bipolar se llamaba anteriormente Enfermedad Maníaca-Depresiva.

Tipos de Pérdidas que Frecuentemente Provocan Depresión

PÉRDIDA DEL EMPLEO

"Cuando me despidieron del mi trabajo exigí que eso no hubiera sucedido y me dije a mí mismo que no valía nada sin trabajo. Ahora he dejado de usar esas conversaciones mentales destructivas y no me siento más deprimido. Tengo una entrevista para un trabajo nuevo".

PÉRDIDA DE UNA RELACIÓN

"Perdí a mi prometido. Por mucho tiempo exigí de nuestra separación no hubiera ocurrido. Cuando cambié mi exigencia de que no hubiera sucedido en un deseo de que no hubiera sucedido me empecé a sentir más triste que deprimida. Ahora puedo continuar con mi vida".

PÉRDIDA DE LA SALUD

"Cuando perdí mi buena salud, continué exigiendo que eso no me hubiera sucedido a mí. Caí en una depresión clínica espantosa. Cuando dejé de exigir que mi pérdida no hubiera ocurrido, me sentí mucho menos deprimido".

La depresión es por lo general provocada por una pérdida personal significativa y nuestra negativa a aceptarla. Las creencias y conversaciones mentales de uno con respecto a la pérdida causan la depresión.

Cambie su exigencia de que la depresión no hubiera ocurrido en una preferencia o deseo de que no hubiera ocurrido. Use estas palabras cuando se hable a usted mismo: "deseo" y "preferencia". Su depresión se convertirá en tristeza, una emoción más sana y más fácil de manejar.

Esfuércese en cambiar lo que usted puede. Pida serenidad para aceptar lo que no puede cambiar.

Las Pérdidas Pueden Ocasionar Depresión

Hay una diferencia entre tristeza, depresión, y depresión duradera. La tristeza, una emoción desagradable pero sana, es causada en gran parte por creer y decirnos a nosotros mismos que una pérdida importante ha ocurrido. La depresión ocurre cuando uno cree que a tenido una pérdida y se dice a sí mismo que es algo terrible y no debiera haber ocurrido. Una depresión duradera puede ser la consequencia del decirse continuamente que la depresión no debiera haber ocurrido, que usted nunca lo aceptará, que es terrible, y que usted no-lo-puede-soportar. Esfuércese en cambiar lo que puede. Pida serenidad para aceptar lo que no puede cambiar.

¿Cómo puede una persona no sentirse afectada y deprimida por largo tiempo por una tragedia seria como por ejemplo la muerte inesperada de un niño? Como respondemos y aceptamos los eventos negativos está determinado principalmente por nuestras creencias y por lo que nos decimos a nosotros mismos sobre el evento. Veamos lo que los distintos miembros de una misma familia se dicen sobre la muerte de un niño.

"Papá no debiera haber retrocedido atropeyándolo"

El señor Lyons se metió debajo de su camión y sacó el cuerpo de su hijo de cuatro años después de haberlo atropellado accidentalmente cuando hacía marcha atrás. Brenda, que tenía dieciocho años obervaba mientras su papá ponía el cuerpo de su hermano en el sofá de la sala.

El señor y la señora Lyons lloraron la muerte de su hijo durante mucho tiempo y, aunque entristecidos por la pérdida, la aceptaron. Brenda, en cambio, se negó a aceptar la muerte de su hermano o el papel de su padre en su muerte diciendo que no debiera haber sucedido. Comenzó a obsesionarse con el el accidente, repitiéndose sin cesar: "Papá lo puso sobre sus hombros y los depositó en el sofá... Como puede alguien hacer algo tan estúpido... No debiera haber sucedido... Papá no debiera haber retrocido encima de él".

Luego de varios meses de conversaciones mentales nocivas y de negarse rotundamente a aceptar la muerte de su hermano, Brenda enmudeció y quedó casi paralizada. Entró en un estado de estupor y hubo que hospitalizarla.

La gente tiene creencias y conversaciones mentales diferentes sobre una tragedia personal y sobre el aceptarla o no. Estas creencias y conversaciones mentales pueden ser racionales y de auto-ayuda o irracionales y derrotistas. Nuestras creencias y conversaciones mentales determinan los sentimientos que las siguen. Brenda se adoctrinó constantemente con la afirmación: "Esto no debiera haber sucedido. No lo puedo aceptar". De las once creencias irracionales, las que más influyeron en Brenda fueron:

#9 **Mi historia pasada es la causa principal de mis sentimientos y conductas presentes, aquello que en el pasado me influyó mucho, sigue teniendo la misma influencia.**

#3 **El mundo debiera ser justo: La gente debiera actuar con justicia, pero como esto no sucede, la gente es mala, perversa, infame, o increíblemente estúpida; y debiera ser severamente criticada y castigada.**

#5 **No puedo hacer gran cosa con mi ansiedad, ira, depresión, e infelicidad porque mis sentimientos son consecuencia de lo que me sucede.** (*Las once creencias irracionales* restantes se explican en el Capítulo Seis).

A diferencia de sus padres, Brenda bloqueó el poder curativo del paso del tiempo. Lo hizo al negarse a aceptar una realidad dolorosa y al adoctrinarse constantemente con: "No debiera haber sucedido. No lo puedo aceptar".

La terapia racional emotiva y conductual, que es la base de SOS, ayuda eficazmente a que la gente se adapte luego de eventos trágicos. El apoyo emocional de la familia y los amigos es también importante. Brenda recibió terapia y luego de un año de tratamiento mejoró considerablemente.

Aceptando un Pérdida Grave

El desafío para alguien que ha experimentado una pérdida grave es encontrar el modo de aceptarla sin exigir continuamente que no haya ocurrido. Veamos como dos personas trataron de aceptar sus pérdidas.

"¿Qué es lo mi hijo me hubiera dicho?"

Esta era la segunda vez que un ladrón entraba en la casa de Rodolfo a la noche, pero esta vez él estaba preparado. Rodolfo había comprado un arma para proteger su hogar y a su familia.

Rodolfo oyó un ruido en la planta baja. Tomó el arma y corrió a la habitación de su hijo Carlos para asegurarse que su hijo estuviera a salvo. Al mismo tiempo Carlos salió corriendo de su cuarto. La puerta golpeó el arma que se disparó accidentalmente. Una bala perforó la cabeza de Carlos quien murió en los brazos de su padre.

Rodolfo comenzó tratamiento para el trastorno de estrés postraumático y para reconciliarse con el dolor y la culpa que sentía.

Luego de varios meses de terapia y gracias a la habilidad de Rodolfo para aceptar su pérdida y perdonarse a sí mismo, el terapeuta de Rodolfo le preguntó: "Si Carlos pudiera volver por un momento, ¿qué crees que te hubiera dicho? Después de algunas semanas de pensar sobre esta pregunta, Rodolfo dijo que su hijo hubiera dicho algo así: "Papá, perdónate a ti mismo, accéptalo, y acompaña a mamá".

Rodolfo se esforzó en creer este "consejo de su hijo". Con este consejo de aceptar su pérdida y con el paso del tiempo, la depresión de Rodolfo comenzó a aliviarse.

SEÑOR, CONCÉDEME SERENIDAD PARA ACEPTAR LAS COSAS QUE NO PUEDO CAMBIAR. CORAGE PARA CAMBIAR AQUELLAS QUE PUEDO, Y SABIDURÍA PARA RECONOCER LA DIFERENCIA.

"*¿Acaso esta pérdida arruinará el resto de mi vida?*"

Daniela, una mujer madura, esposa y madre, volvió a su casa de su trabajo de cajera en un banco para enterarse de que su esposo acababa de morir. Daniela lo amaba y habían tenido un matrimonio satisfactorio. Luego de un año de lucha con su dolor y soledad, encontró un modo nuevo de pensar sobre su pérdida para ayudarse a terminar con su depresión.

Finalmente llegó a creer y a repetirse con frecuencia: "Tengo dos opciones. Puedo aceptar mi pérdida como una realidad irreversible y continuar con mi vida. O puedo no aceptar mi pérdida y dejar que esto arruine el resto de mi vida".

El repetirse constantemente estas conversaciones mentales le ayudó a que Daniela aceptara su pérdida, a aliviar su depresión, y continuar con su vida normal.

La Depresión y la Perspectiva del ABC de Nuestras Emociones

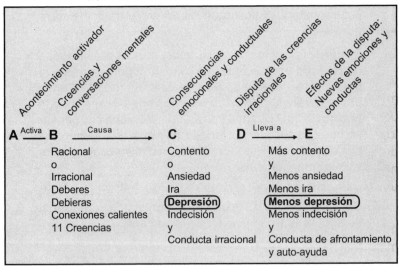

EL CREER QUE "MIS SENTIMIENTOS TIENEN SU CAUSA EN LO QUE ME SUCEDE" ES UNA FÓRMULA PARA LA DEPRESIÓN.

Reemplace la Baja Aceptación de Uno Mismo y la Baja Auto-Estima con Aceptación de Uno Mismo

NO A LA BAJA ACEPTACIÓN DE UNO MISMO

BAM, para muchos, está basada en la creencias irracional: "Debo ser amado y aprobado por todos los demás".

Una buena afirmación de disputa y afrontamiento es: "No necesito ser aprobado y amado por todos los demás para aceptarme a mí mismo".

La auto-estima requiere respeto a uno mismo, auto-valoración, confianza en uno mismo, y satisfacción de uno mismo. Base su auto-estima en una aceptación firme de usted mismo y no en su valoración de sus características o logros personales, o en ser amado o aprobado por los demás.* "Tome conciencia de que el respeto de uno mismo no viene de la aprobación de los demás sino de apreciarse a uno mismo"... (Ellis, 1994, p. 108)

El trata de incrementar su auto-estima parece ser una meta sana. Sin embargo, si usted trata de alcanzar esta meta mejorando sus características y logros personales, o buscando la aprobación de los demás, usted puede aumentar su depresión y disminuir su auto-estima (Borcherdt, 1989)

---

*Distinga entre (1) valorar sus logros (sano) y (2) valorarse a usted mismo basándose en sus logros (malsano).

PRACTICANDO LA BAJA ACEPTACIÓN DE UNO MISMO (BAM) Y LA
BAJA AUTO-ESTIMA EN LAS CONVERSACIONES MENTALES

"#&!@ ¡Otra vez la perdí! ¡Doy lástima! Si no tengo un
buen saque como absolutamente debiera no valgo nada.
Si me digo esto a mí misma me ayudaré a esforzarme
más. ¡Por supuesto que si pierdo el saque me voy a
sentir como una *#&!@ despreciable! No estoy jugando
tan bien como antes. Tal vez el tennis no sea mi
deporte".*

Esta conversación mental causa baja aceptación de sí
misma (BAM) y baja auto-estima. Es importante usar
conversaciones mentales racionales en lugar de
irracionales para motivarse a uno mismo. Esta jugadora
de tennis ha conectado un "yo debo" con un "no valgo
nada" y continua practicando conversaciones mentales
negativas. No se rotule con *#&!@.

Hay gente desafortunada que cree que el
perfeccionamiento personal viene más de la auto-
condena que de la auto-aceptación.

Aunque la auto-estima y la auto-aceptación sean
términos similares, prefiero usar auto-aceptación. La auto-
aceptación es una aceptación firme de uno mismo y el
negarse a darse a uno mismo una valoración general tal como
"despreciable" o "perfecto" (Dryden & Neenan, 1994). ¡No se rotule!

Mida lo que hace pero no se mida a uste mismo como persona por lo que hace; hay una diferencia entre ambas valoraciones. Una persona que se acepta a sí misma cree: "*Me acepto firmemente a mí misma como persona, aunque no me gusten todas mis conductas y acciones. Estoy dipuesta a medir, evaluar, y esforzarme en mejorar mis acciones y conductas*".

La baja aceptación de uno mismo (BAM) puede ser el resultado de insistir en que todas las demás personas lo amen y aprueben porque nadie puede esperar algo semejante. BAM puede también ser el resultado de asignarse un valoración general pobre basada en las características personales, acciones, y logros.

Los sentimientos de culpa, como por ejemplo cuando violamos nuestro propio código moral pueden causar BAM. Reemplace los sentimientos de culpa con arrepentimiento (descripto en el Capítulo Cuatro) y decídase a mejorar su conducta futura.

La aceptación de uno mismo lleva a más satisfacción, más éxito en el logro de sus metas, y a reducir la ansiedad, la ira, y la depresión. El aceptarse a uno mismo hace más fácil el aceptar a los demás, aunque a veces no nos guste su modo de actuar. La auto-aceptación es importante en motivarnos a lograr nuestras metas y a manejar nuestras relaciones con los demás. *El manejar las relaciones* y *el motivarnos a nosotros mismos para lograr nuestras metas* son dos componentes importantes de la inteligencia emocional que se describió en el Capítulo Uno.

Luche por aceptarse y esfuércese en mejorarse. Pero no base su auto-aceptación en sus características personales, sus logros, o en que los demás lo amen y aprueben. Los logros, el éxito, y el ser amado y aprobado por los demás se desvanecen, dejándolo a usted con la tarea de afrontar su baja auto-aceptación y por consiguiente su depresión, ansiedad, o ira.

Evite las afirmaciones derrotistas y el usar la conexión caliente "no valgo nada". Cuando se sienta decepcionado con usted mismo, no entre en el hábito de condenarse y maldecirse (usando la conexión caliente de condena y maldición). Estas conversaciones mentales irracionales conducen a la depresión y la culpa (Nottingham, 1994).

Cuando se sienta que no vale nada, esfuércese en encontrar una creencia racional alternativa. Por ejemplo: "No soy una persona perfecta. Soy falible con fortalezas y debilidades como todos los demás. Voy a tratar de no alterarme más por estar alterado".

Mucha gente que sufre de depresión y de baja aceptación de sí misma tropieza con un patrón de creencias irracionales y conversaciones mentales que la llevan a odiarse a sí misma. ¿Cuál es el problema básico de estas personas, el mejorarse o aceptarse a sí mismas? La respuesta es: esfuércese en aceptarse firmemente a usted mismo.

Evite la baja aceptación de uno mismo (BAM) que es una de las causas centrales de la depresión, la fobia social (también llamada trastorno de ansiedad social), algunos trastornos de la alimentación, algunos problemas de ira, y de otros trastornos.

De las 11 creencias irracionales, las que contribuyen a la baja aceptación de uno mismo (y que deben arrancarse), las más significativas son las siguientes:

#1. **Para mí es una necesidad extrema el ser amado y aprobado por la mayoría de las personas que son significativas para mí.**

#2. **Debo ser perfectamente competente, aceptable, y exitoso en todos los aspectos importantes para sentirme valioso.**

**SOBRECARGADO CON LA DEPRESIÓN Y
CON "DEPRIMIRSE POR ESTAR DEPRIMIDO"**

*"Esta depresión *#&!@ es realmente una carga y no-la-puedo-soportar. No debiera estar deprimido, pero como lo estoy aunque no debiera, no valgo nada".*

El deprimirse más por estar deprimido es un problema emocional secundario (adicional) que intensifica la carga total de infelicidad y perturbación. Para más advertencias sobre el "alterase por estar alterado" vea en el Capítulo Seis: "Cómo Evitar los Problemas Emocionales Secundarios".

#5. **No puedo hacer gran cosas sobre mi baja auto-aceptación o mi baja auto-estima porque a ambas son el resultado de lo que me sucede, del modo como los otros me valoran y me tratan.** (Esta creencias irracional se ha modificado levemente de su versión original en el Capítulo Seis.)

Auto-Ayuda para la Depresión

Cuando se siente desanimado y deprimido revise la siguiente lista de causas y ayudas para la depresión. El Capítulo Cuatro habla de muchos de estos métodos. Practique lo siguiente para interrumpir y manejar sus sentimientos de depresión:

- **Reconozca que son sus creencias y conversaciones irracionales las que causan principalmente sus emociones** en lugar de los eventos reales, las pérdidas, o los problemas prácticos (es decir los acontecimientos activadores).

- **Trate primero su problema emocional** (su disgusto y depresión) antes te tratar de resolver su problema práctico o pérdida (el acontecimiento activador que parece deprimirlo)

- **Reemplace las emociones malsanas con emociones sanas.** Reemplace la depresión (una emoción malsana) con tristeza (una emoción más sana). Reemplace la ira con el disgusto.

- **Reemplace los tres deberes principales y debieras absolutos ("*Yo debo... ella debe..., el mundo debe...*") con *preferencias, quereres*, y *deseos*.** Cuando se hable a usted mismo sobre lo que parece estar deprimiéndolo, use las palabras "prefiero.. quiero... deseo..." Sea consciente de lo que se dice a usted mismo sobre usted mismo, sobre los demás, y sobre los eventos o situaciones.

- **Abandone cualquiera de las cinco conexiones calientes** (condena y maldición, no-lo-puedo-soportar-ismo, catastrofismo, no valgo nada, siempre o nunca) que esté usando. Una auto-evaluación general tal como: "*no valgo nada*" hay que desafiarla y descartarla.

- **Use un lenguaje emocional fresco cuando se hable a usted mismo.**

- Cuando enfrente frustraciones y pérdidas, **repita afirmaciones de afrontamiento** tales como: "*Aunque esto no me guste, no hay inconveniente. Igual lo puedo soportar*".

- **Use distracción, diversión, y entretenimiento** para ocuparse temporariamente en una actividad placentera.

- **Evite deprimirse por estar deprimido** (también llamado problema emocional secundario en el Capítulo Seis). Evite creer: "No debiera estar deprimido y como estoy deprimido, aunque no debiera estarlo, no valgo nada y me siento aún más deprimido..."

- **Reemplace la baja aceptación de uno mismo (BAM) y baja auto-estima con una aceptación firme de uno mismo.** Evalue y esfuércese en mejorar su conducta y sus acciones, pero no se de una evaluación generalizada de usted mismo.

- **Considere hacerse un examen físico, probar medicación antidepresiva, y ver a un terapeuta.**

Para reducir la depresión a largo plazo trate de hacer también lo siguiente:

- **Cuando se sienta deprimido, complete el Formulario de Auto-Análisis y Mejoramiento del ABCDE de la Depresión.**

- **Mantenga un Registro del Humor Diario para entender mejors sus emociones.** Reconozca que los sentimientos de ansiedad e ira casi siempre acompañan a los de depresión.

- **Detecte e identifique sus creencias y conversaciones mentales irracionales** que son las principales responsables de su depresión, la baja aceptación de usted mismo, del sentirse despreciable, o del ahondamiento de sus sentimientos de pérdida. Cuando busque las creencias irracionales que puedan estar causando la depresión, revise también las once creencias irracionales del Capítulo Seis.

- **Dispute y arranque sus creencias irracionales y conversaciones mentales que causan la depresión, la baja auto-aceptación, los sentimientos de desprecio, y la insistencia de que sus pérdidas "no debieran haber ocurrido".** Profundice su convicción en la fuerza auto-destructiva de sus viejas creencias irracionales y conversaciones mentales.

El Formulario de Auto-análisis y Mejoramiento del ABCDE

Fecha: _____

A **Acontecimiento Activador** (Situación o evento desagradables; pueden ser eventos anticipados):

B **Creencias y Conversaciones Mentales** (Sus creencias y conversaciones mentales irracionales, especialmente sus debo, debieras absolutos, y las cinco conexiones calientes):

C **Consecuencias Emocionales y Conductuales** (Sus emociones desagradables y conductas inadaptadas):

Emociones:

Conducta (o conducta contemplada):

D **Disputa y Debate** (Disputar sus creencias irracionales y conversaciones mentales, especialmente sus deberes, debieras absolutos, y las cinco conexiones calientes):

E **Efectos** (Efectos del disputar: Nuevas emociones y conductas):

Copie este formulario. Complete los pasos en este orden: A, C, B, D, y E. Cuando esté disgustado, siga los métodos de auto-ayuda de los Capítulos 4 y 5. Cuando complete la B, busque sus deberes, debieras absolutos, y cinco conexiones calientes. Fíjese si usted está también creyendo cualquiera de las 11 creencias irracionales que se describen en el Capítulo Seis.

```
╭────────────────────────────────────────────────────────╮
│              El Registro del Humor Diario:               │
│     Registro de la ansiedad, la ira, y  la depresión     │
├────────────────────────────────────────────────────────┤
│  En una escala de 1 a 10 escriba el número que corresponde al │
│  promedio de su humor diario. Leve is 1 a 3, moderado es 4 a 5, │
│  alto es 6 a 8, y grave es 9 a 10.                       │
```

Fecha/hora	Ansiedad	Ira	Depresión	Notas

Las instrucciones siguientes describen cómo se mantiene un Registro del Humor Diario.

Primero, decida cuál de las emociones básicas va a registrar. Preste mucha atención a esas emociones. Registre el promedio aproximado de su humor correspondiente a las emociones que ha seleccionado para monitorear. Hágalo cada día. Entre anotaciones que lo ayuden a comprender mejor sus emociones.

Lo Fundamental que Hay Que Recordar

- Un humor depresivo causa angustia y nubla nuestra capacidd de pensar y nuestra habilidad para evitar, manejar, o resolver problemas.

- Las causas de la depresión incluyen: duras desilusiones o pérdidas significativas, o nuestras *exigencias* continuas de que las desilusiones o las pérdidas *no debieran haber ocurrido*; las creencias y conversaciones mentales irracionales, y para algunas personas, factores biológicos.

- La depresión puede convertirse en algo más que un problema, puede llegar a ser un trastorno grave y persistente.

- Reemplace la baja aceptación de uno mismo (BAM) y baja auto-estima con una auto-aceptación firme. Sin embargo, evalue y esfuércese en mejorar sus conductas y acciones.

- Complete *el Formulario de Auto-Análisis y Mejoramiento del ABCDE de la Depresión* para entender y manejar mejor su depresión.

- Si se siente significativa y persistentemente deprimido hable con su doctor o psiquiatra sobre las causas físicas posibles de su depresión y la posibilidad de probar con medicación antidepresiva.

- Use un número adicional de métodos de auto-ayuda de SOS para tratar sus sentimientos de depresión.

- Examine su comprensión de los Capítulos Siete, Ocho, y Nueve. Vaya al Capítulo 12 y complete la Parte Tres de los cuestionarios y ejercicios.

Cuarta Parte

CÓMO AYUDARNOS DE OTRAS MANERAS

SOS Ayuda Para Padres

DVD Video SOS Ayuda Para Padres
www.sosprograms.com

NO ESPERE HASTA QUE SU HIJO SEA UN
ADOLESCENTE PARA MEJORAR SUS
HABILIDADES COMO PADRE.

Visite nuestro sitio de internet y vea las
muestras de los videos de SOS sobre
métodos para manejar la conducta de los
niños, tanto en Español como en Inglés.
Puede bajar copias gratis de los materiales
de SOS en <**www.sosprograms.com**>

Capítulo 10

Cómo Sobrellevar el Estrés de Tratar con Gente Difícil

DOS PERSONAS DIFÍCILES

En este capítulo vamos a considerar:

- la importancia de manejar primero nuestras emociones antes de tratar con gente difícil

- las creencias y conversaciones mentales más comunes que hacen que nos sintamos disgustad~ y enojados cuando estamos con gente difí~''

- el conjeturar sobre las creencias irrac¹ gente difícil

- recomendaciones para tratar con ge~

Felipe es Nuestro PNG (Persona Non Grata)

Juan fue a la oficina de su supervisor a quejarse de Felipe, bien conocido por sus compañeros de trabajo como una persona liera y difícil. Luego de escuchar la lista de quejas su supervisor le contestó: "¡*Toda organización tiene una PNG! Felipe es nuestro PNG. ¡Probablemente vas a tener que adaptarte a su presencia!*"

Juan salió disgustado de la oficina de su supervisor pero reconoció que iba a tener que ajustar su modo de pensar y sus emociones. En realidad, antes de ir a quejarse a su supervisor, Juan ya sospechaba que este sería el caso.

Trate Primero su Angustia y Luego a la Persona Difícil

Las personas difíciles puede obstaculizar el logro de nuestras metas, amenazar nuestra auto-estima y nuestra auto-aceptación, actuar de manera arrogante y molesta, frustranos, y usar métodos desagradables para controlar las situaciones y controlarnos a nosotros. Robert Bramson, en su libro "Cómo Sobrellevar el Estrés de Tratar con Gente Difícil" (Coping with Difficult People) rotula a la gente difícil con etiquetas tales como: tanques, francotiradores, topadoras, explotadores, aguafiestas, almejas, quejones, gente que pospone las cosas, y sabelotodos". (1981)

Para sobrellevar el estrés de tratar con gente difícil maneje primero su reacción emocional. Hay dos razones para manejar nuestras emociones antes de tratar a la persona difícil. Es más cómodo relacionarse con los demás sin sentir mucha ansiedad, ira, o frustración intensas, o sin tener amenzadas nuestra auto-estima y nuestra auto-aceptación. Además, podemos pensar más claramente y actuar más eficazmente cuando tratamos con gente difícil si no estamos gravemente alterados o disgustados con ellos.

Nuestras emociones y nuestras conductas son principalmente el resultado de nuestras creencias y conversaciones mentales y no de los eventos reales o la gente en nuestras vidas. *No es la gente desagradable la que causa nuestro malestar sino nuestras creencias y lo que nos decimos a nosotros mismos sobre la gente y su conducta.* Somos responsables de nuestras propias emociones. Si la gente que actúa de manera difícil nos disgusta, nosotros le hemos dado permiso para hacerlo. La ilustración familiar "La Perspectiva del ABC de Nuestras Emociones" nos muestra cómo nos disgustamos a nosotros mismos cuando encontramos gente difícil.

La Perspectiva del ABC de Nuestras Emociones

A Acontecimiento Activador **Actions of a difficult person**	Activa/Provoca ⎯⎯⎯⎯⎯ B ⎯⎯⎯⎯⎯ Creencias y Conversaciones Mentales	Causan ⎯⎯⎯⎯> C Consecuencias Emocionales y Conductuales **Ansieda, Ira** **Frustración Creciente** **Baja Auto-Aceptación**

En el Capítulo Cuatro se introdujo la importancia de tratar primero el problema emocional para luego ocuparnos del problema práctico. La conducta de una persona difícil es nuestro problema práctico y esa conducta se llama también acontecimiento activador. Nuestras creencias y conversaciones mentales sobre las acciones de la persona difícil son las que generamente causan nuestras C, consecuencias de ansiedad, ira, frustración creciente, y baja auto-aceptación.

Un Esposo Enojado

El esposo de una de mis estudiantes universitarias irrumpió en mi oficina, enojado por la calificación de su esposa en uno de mis exámenes de psicología. El vino a verme sobre la calificación de su esposa aunque ella fuera una feminista apasionada. Porque ella no tomó el examen con el resto del grupo como estaba en el calendario le bajé tres puntos del puntaje de su examen, como acostumbraba a hacerlo con los estudiantes que se ausentaban para un examen. Pensé que tres puntos restados a los 60 era una penalidad mínima por tomar el examen más tarde.

Sin embargo su esposo estaba furioso, exigió que el puntaje se cambiara, y me dijo que la penalidad era injusta. Su ira y su insistencia en que cambiara el puntaje eran mi problema práctico. Antes de tratar con mi problema práctico, primero tuve que tratar mi problema emocional, mi enojo por lo que consideraba era una exigencia torpe y absurda. Luego de calmarme pude afrontar más eficazmente el problema.

Creencias y Conversaciones Comunes que Hacen que nos Alteremos con la Gente Difícil

¿Qué es lo que nos decimos a nosotros mismos que nos perturba tanto cuando estamos con gente liera y difícil? Veamos las creencias irracionales que hacen que nos disgustemos excesivamente con la gente difícil.

Todos experimentamos frustraciones cuando tratamos a los demás. *La frustración con los demás viene de no conseguir lo que uno quiere de ellos. Baja tolerancia a la frustración* (BTF) es el resultado de creer que: "*Los otros deben absolutamente darme lo que yo quiero y actuar como yo espero, y si no lo hacen, es horrible, y no-lo-puedo-soportar*".

Esfuércese en aumentar su BTF, algo sobre lo que usted tiene un control considerable. El cambiar a la otra persona es algo sobre lo que usted tiene poco control.

¿Qué causa la baja tolerancia a la frustración y cómo puede mejorar su BTF y sentirse menos estresado? Para detectar sus creencias que causan la baja tolerancia a la frustración, pregúntese: "*¿Qué me estoy diciendo a mí mismo sobre esta persona? ¿Qué me estoy diciendo sobre sus acciones? ¿Qué estoy insistiendo o exigiendo que esta persona haga o deje de hacer?*"

"*La puerta de mi oficina está siempre abierta. ¡Veame cuando quiera! Será siempre bienvenido*".

La gente difícil con frecuencia da mensajes confusos y contradictorios.

Cuando se sienta extremadamente frustrado o disgustado con los demás, repítase silenciosamente estas frases de afrontamiento. El repetir estas frases lo ayudará a aumentar su tolerancia a la frustracióm. Los siguientes son algunos ejemplos de frases de afrontamiento:

"*Me disgusta la conducta de esa persona, pero lo puedo soportar*".

"*Algunas veces las relaciones son frustrantes, pero puedo soportar la frustración*".

"*La vida es dura, pero la puedo sobrellevar*".

"*La conducta humana es absurda*".

"*Aunque esto no me guste, no hay inconveniente. Igual lo puede soportar*".

¿Qué otras creencias irracionales contribuyen a nuestra baja tolerancia a la frustración y molestia cuando tratamos con gente difícil? Las culpables posibles son: *los tres deberes principales* (especialmente el segundo deber principal: *el o ella debe...*), *los debieras absolutos*, y *las cinco conexiones calientes* (condena y maldición, no-lo-puedo-soportar-ismo, catastrofismo, no valgo nada, y siempre o nunca).

El exigir que otra persona cambie, y decirnos a nosotros mismos que si no cambia, *debiera ser condenado* (u otra conexión caliente) hace que nos sintamos alterados emocionalmente. El simplemente desear, esperar, y preferir que la otra persona cambie lleva a menos estrés.

Cuando busque sus creencias irracionales que hacen que se sienta exageradamente enojado con la gente difícil, repase *las once creencias irracionales comunes que causan angustia emocional*, que se presentaron por primera vez en el Capítulo Seis. De las seis creencias irracionales que se lista abajo, la #3 es la más influyente:

#1. **Para mí es una necesidad extrema el ser amado y aprobado por la mayoría de las personas que son significativas para mí.** Si esta persona difícil no me aprueba como debiera, es horrible, no-lo-puedo-soportar, no valgo nada, debieran condenarme. Soy una PA (persona asquerosa) y mala.

#2. **Debo ser perfectamente competente, aceptable, y exitoso en todos los aspectos importantes para sentirme valioso.** Debo ser 100% competente y si esta persona difícil amenaza mis sentimientos de competencia y mi auto-aceptación, es horrible, no-lo-puedo-soportar, no valgo nada, debieran condenarme.

#3. **El mundo debiera ser justo: La gente debiera actuar con justicia, pero como esto no sucede, la gente es mala, perversa, infame, o increíblemente estúpida; debiera ser severamente criticada y castigada.** Y si la gente difícil en mi vida no actúa con equidad y razonablemente, como debiera, es horrible, no-lo-puedo-soportar, no valgo nada, debieran condenarme.

#5. **No puedo hacer gran cosa con mi ansiedad, ira, depresión, e infelicidad porque mis sentimientos son consecuencia de lo que me sucede (*y de la manera en que la gente me trata*).** La gente difícil debe tratarme bien y si no lo hacen, no puedo hacer nada más que sentirme ansioso, enojado, y deprimido.

#8. **Soy muy dependiente de los demás y necesito alguien más fuerte que yo en quien apoyarme; no puedo manejar mi propia vida.** Debo tener a alguien en quién depender y esa persona debe tratarme bien. Si no me trata bien, como debiera, es horrible, no-lo-puedo-soportar, no valgo nada, debieran condenarme.

#10. **Si siento cariño por alguien, debo sentirme ansioso, enojado, y deprimido cuando esa persona tiene problemas y disgustos.** Las personas que quiero no deben tener perturbaciones o malestares significativos, y si los tienen, aunque no debieran, es horrible, no-lo-puedo-soportar, no valgo nada, y esto nunca va a cambiar. No puedo ser feliz sabiendo que otros sufren.

Busque en el Capítulo Seis las creencias racionales alternativas que pueden reemplazar a las creencias irracionales mencionadas. Esfuércese en arrancar sus creencias irracionales y en adoptar creencias racionales alternativas para que la gente difícil "no lo vuelva loco".

Continue discutiendo y desafiando sus creencias irracionales hasta que pueda soportar la conducta de la gente difícil. Los capítulos anteriores, y especialmente los Capítulos Tres y Cuatro le enseñan cómo discutir y arrancar las creencias irracionales.

Cuando trate con gente difícil, reemplace su exigencia de que la gente cambie en una preferencia de que cambie. Reconozca que prefiere que la persona cambie su conducta pero que no es esencial para su supervivencia o felicidad.

UNA PERSONA DIFÍCIL

"Ya que recién nos conocemos, quiero mencionarle que tengo un 'Trastorno Explosivo Intermitente'. Que es un trastorno reconocido por el DSM como un problema psiquiátrico de control de los impulsos en el que la persona puede tener episodios de agresión inesperados. Pero me estoy esforzando en controlarlo".

"Mis ex-amigos creen que es un problema más grande de lo que es en realidad. Pero siempre tendemos a exagerar las cosas. Ahora, aprovechemos a conocernos más".

Un Jefe Difícil

Eduardo disfrutaba mucho de su trabajo como un representante de productos farmacéuticos con un buen sueldo a pesar de su jefe de ventas, el Señor Bratcher.

El Sr. Bratcher redujo el area de ventas y aumentó la cuota de ventas. A menudo mandaba mensajes hostiles y exigentes a sus vendedores, en forma de faxes, emails, memos, cartas, y correo de voz, amenazándolos con despedirlos si no aumentaban el volumen de ventas. En las entrevistas cara a cara, el Sr. Bratcher alternaba entre actuar de maneza amenazador o amistosa.

Eduardo evitaba alterarse a causa del Sr. Bratcher discutiendo sus propias creencias irracionales y entablando conversaciones mentales racionales. Eduardo se decía a sí mismo: *"Me gusta mi trabajo, paga bien, la única desventaja es mi jefe. No me cae bien y desearía que lo despidieran a él, pero puedo soportarlo. No voy a alterarme exigiendo que cambie su conducta y me trate con equidad. Este no es un mundo perfecto, no voy a frustrarme exigiendo que sea perfecto".*

> EL EXIGIR QUE LOS OTROS CAMBIEN CAUSA ANGUSTIA EMOCIONAL. EL PREFERIR QUE LOS OTROS CAMBIEN CONDUCE A LA CALMA.

Conjeture Sobre las Creencias Irracionales de su Persona Difícil

La próxima vez que esté aburrido durante una clase o reunión sosas, piense en su persona difícil, y analice sus ABCs.Conjeture sobre sus creencias irracionales y conversaciones mentales.

La situación que provoca su disgusto con usted o con otra persona es *la A "Acontecimiento Activador"*. Sus C *"Consecuencias"* son las emociones y conductas que presenta durante y después de la situación desagradable.

Luego sigue la parte desafiante. ¿Cuáles cree usted son sus *Bs (Creencias Irracionales y Conversaciones Mentales)* que hacen que actúe de manera controladora, agresiva, o enojada? ¿Qué debe estar diciéndose a sí mismo sobre la otra persona? ¿Qué estará insistiendo o exigiendo que la otra persona haga o deje de hacer? Considere los tres deberes principales y las cinco conexiones calientes. Recuerde también *las once creencias irracionales más comunes que causan angustia emocional*.

> TRATE PRIMERO SU PROPIO MALESTAR Y LUEGO TRATE CON LA PERSONA DIFÍCIL.

Los ABCs de un Esposo Enojado

Analicemos los ABCs del "esposo enojado" que irrumpió en mi oficina.

Su *A "Acontecimiento Activador"* fue probablemente su esposa que le contó sobre la penalidad de los tres puntos que se le bajaron por tomar el examen más tarde. Una parte importante de acontecimiento activador fue la observación del esposo de la frustración, angustia, e ira de la esposa por la calificación que recibió.

Las *C "consecuencias emocionales y conductales"* fueron claramente evidentes. Se enfureció, e irrumpió en mi oficina y exigió que yo abandonara la penalidad de los tres puntos en el examen de su esposa.

Sus *B "creencias y conversaciones mentales"* probablemente incluyeron: "*Mi esposa absolutamente no debe alterarse por este profesor poco razonable y no se la debe penalizar por su examen tardío. Si ella está alterada, lo cual no debiera suceder, entonces es horrible, terrible, catastrófico, no-lo-puedo-soportar, y debieran condenarlo. ¿Qué clase de esposo aceptaría semejante injusticia hecha a su esposa?*"

Métodos para Sobrellevar a la Gente Difícil

No deje su trabajo, trate de manejar una mala situación, o terminar una relación tumultuosa cuando se sienta muy alterado emocionalmente. Luego de manejar su baja tolerancia a la frustración y su ira, decida una meta realista con respecto a su relación con la persona difícil. Luego determine un plan para el mejor curso de acción.

Luego de considerarlo detenidamente tal vez usted decida que lo mejor es terminar su relación con la persona. Sin embargo, si usted permite que sólo sus emociones controlen su conducta, se dará cuenta de que sus logros estaban descargando su ira, expresando furia, o buscando venganza. ¡Cualquiera puede hacer eso!

Es mejor cambiar su ira en disgusto. Entonces, si expresa disgusto, trate de expresarlo con la persona adecuada, en la medida adecuada, en el momento oportuno, por las razones correctas, y de la manera correcta. Si no lo hace de esta manera, puede dañar una relación que usted quiere continuar en el futuro. Si usted expresa una ira intensa o furia, tal vez se derrote a sí mismo mientras que derrota a la persona que lo perturba. Además, el expresar enojo a la mayoría de la gente, simplemente la convence de que de su conducta tonta y detestable era correcta.

El expresar la ira intensamente es un método pobre para lograr que la persona cambie su conducta. El enojarse y darle un bofetada a su hija puede ser que la haga limpiar su cuarto esta tarde. Sin embargo, su cuarto posiblemente esté desordenado otra vez mañana. Hay métodos más efectivos para hacerla limpiar su cuarto.

Estos son métodos específicos para sobrellevar a la gente difícil:

- Reconozca que no es la gente desagradable sino sus propias creencias sobre la gente y su conducta las que causan su malestar.

- Para tratar con gente difícil, primero maneje su reacción emocional.

- Concéntrese en cambiar sus sentimientos de ira por otros menos intensos tales como disgusto, desagrado, o desilusión.

- Exprese disgusto y desagrado, pero no ira intensa.

- Sea enérgico en expresar lo que quiere, en lugar de ser pasivo agresivo.

- Negocie con su persona difícil y esté dispuesto a transigir.

LEA, ESTUDIE, PRACTIQUE SOS

- Salgan de la habitación y sepárense hasta que ambos se hayan calmado. Cuando vaya saliendo diga algo tal como: "Necesitamos una pausa de esta discusión".

- Acepte a la persona difícil aunque no acepte su conducta. La gente es falible y su persona difícil no es una excepción.

- Perdone a la persona por su conducta tonta, poco razonable e ilógica.

- Complete el Formulario de Auto-Análisis y Mejoramiento del ABCDE de la Gente Difícil.

- Trate de entender el punto de vista de la otra persona. Haga suficientes preguntas hasta que usted pueda repetir y sintetizar con precisión su punto de vista. Sea capaz de parafrasear su posición para que ella esté de acuerdo con que usted ha hablado con precisión.* El poder sintetizar con precisión el punto de vista de la otra persona no significa que usted esté de acuerdo con ella sino simplemente que lo entiende. Cuando la gente se siente comprendida por lo general se vuelve más razonable.

- Deje la situación y dedíquese a una actividad placentera.

- Revise otra vez esta lista de métodos de SOS para tratar con gente difícil.

- Acepte lo que no puede cambiar.

> USTED NO PUEDE MANEJAR SUS RELACIONES
> HASTA QUE NO SEA CAPAZ DE MANEJAR
> SUS EMOCIONES.

---

* "Habilidades para Tratar con la Gente" (People Skills) de Bolton, negociación para los maestros, resolución de conflictos, reafirmación personal, habilidades de escucha. En el Capítulo 12 se describe este libro.

Formulario de Auto-Análisis y Mejoramiento del ABCDE de la Gente Difícil

Fecha:

A **Acontecimiento Activador** (Situación o evento desagradables; pueden ser eventos anticipados):

B **Creencias y Conversaciones Mentales** (Sus creencias y conversaciones mentales irracionales, especialmente sus debo, debieras absolutos, y las cinco conexiones calientes):

C **Consecuencias** Emocionales y Conductuales (Sus emociones desagradables y conductas inadaptadas):

Emociones:

Conducta (o conducta contemplada):

D **Disputa y Debate** (Disputar sus creencias irracionales y conversaciones mentales, especialmente sus deberes, debieras absolutos, y las cinco conexiones calientes):

E **Efectos** (Efectos del disputar: Nuevas emociones y conductas):

Copie este formulario. Complete los pasos en este orden: A, C, B, D, y E. Cuando esté disgustado, siga los métodos de auto-ayuda de los Capítulos 4 y 5. Cuando complete la B, busque sus deberes, debieras absolutos, y cinco conexiones calientes. Fíjese si usted está también creyendo cualquiera de las 11 creencias irracionales que se describen en el Capítulo Seis.

Sobrellevando al Niño Difícil

ERRORES QUE COMENTEN LOS PADRES
EN LA EDUCACIÓN DE LOS NIÑOS

¡Usted es un modelo de conducta para su hijo!

Modele sólo el tipo de conducta que quiere ver en su hijo.

Los padres constantemente están mostrando conductas "modelo" que sus hijos observan. Su hijo aprende a comportarse y manejar sus emociones al observar e imitar su conducta y la conducta de los demás. No muestre conductas no deliberadas que luego no quiere ver en su hijo. Una de las mayores causas de problemas de conducta en los niños es el ver e imitar conductas inapropiadas en los padres.

Su hija lo observa detenidamente cuando usted está frustrado por un problema o tiene un conflicto con otra persona. Al observarlo a usted ella está aprendiendo a manejar sus propias emociones, y sus conflictos y frustraciones con los demás.

> MANEJE SUS EMOCIONES, SEAN UN BUEN MODELO DE CONDUCTA PARA SU HIJO.

Si usted usa sarcasmo o crítica cuando trata a los miembros de su familia u otra gente, en realidad le está enseñando a su hijo a contestar y quejarse como un modo de tratar a los demás. Al observar a sus padres, algunos niños aprenden a decir palabrotas cuando se lastiman. A veces los niños aprenden a tener rabietas al observar a sus padres cuando pierden el control, o amenazan con perder el control de sus emociones y conducta. Usted es un modelo de conducta para su hijo, quiéralo o no. ¡Sea un buen modelo de conducta!

En mi experiencia, otra causa mayor de problemas de conducta en los niños pequeños es que los padres premian de manera accidental la mala conducta de los niños. Recuerde el ejemplo de Miguel (en la página 179) que utilizó la ira y la perturbación emocional para conseguir una Coca-Cola de su mamá. Su mamá no podía soportar su conducta exigente y agresiva y le dio lo que pedía. Cuando Miguel en el futuro quiera algo más de su mamá ¿qué tipo de conducta le parece que presentará? El premiar la conducta problemática la fortalece y causa problemas futuros tanto para los padres como para los hijos.

El programa de *SOS Ayuda Para Padres* enseña más de 20 métodos y técnicas para ayudar a mejorar la conducta problemática de los niños pequeños.*

El DVD Video SOS Ayuda Para Padres es un programa de educación para padres que les enseña a manejar la conducta de sus hijos. Es utilizado por consejeros y educadores y en muchas clases universitarias. Clips de este video se pueden ver tanto en inglés como en español en el sitio de internet: <www.sosprograms.com>

Todos los métodos de manejo de la conducta de los niños que se presentan en el libro de SOS Ayuda Para Padres y el programa de video pueden ser usados por los maestros, como también por los padres.

Niéguele el objeto o la actividad (como por ejemplo una galletita antes de la cena) cuando su hijo está tratando de presionarlo para que haga algo. Es aceptable darle una galletita a su hijo antes de la cena, pero no cuando está usando mala conducta para forzarlo a usted.

Si su hijo está entre las edades de dos y doce, usted puede utilizar una variedad de métodos para mejorar su conducta y su adaptación emocional. Considere el ayudar a su hijo utilizando los métodos de SOS Ayuda Para Padres, un libro y programa que se desarrolló para los padres de niños entre los dos y los doce años.

> ## MANEJE A SUS HIJOS ANTES DE QUE ELLOS LO MANEJEN A USTED.

El mejorar sus habilidades como padre mejorará también la conducta de sus hijos y ayudará a su relación con ellos. Los padres tienen mucha habilidad para mejorar la conducta de los niños pequeños, aún los niños difíciles. No espere a que su hijo sea un adolescente para mejorar sus habilidades como padre.

Ayude a su hijo a que mejore su inteligencia emocional, incluyendo su habilidad para manejar sus emociones. Como la inteligencia emocional se aprende, más que heredarse, se puede mejorar. Cuando su hijo vaya creciendo, su capacidad para lograr sus metas, obtener felicidad y liberarse de sus problemas emocionales dependerá mucho de su inteligencia emocional.

Cinco Habilidades de la Inteligencia Emocional
- Conocer sus emociones
- Manejar sus emociones
- Reconocer emociones en los demás
- Manejar las relaciones con los demás
- Motivarnos para lograr nuestras metas

Ayude a su hija a que aprenda a escuchar sus conversaciones mentales. Comience enseñandole el ABC de las Emociones y continue hasta que sea lo bastante mayor como para dejar el hogar. Comience al nivel y la edad adecuadas. Si es muy joven, piense en demostrarle el ABC con bloquecitos de juguete.

En pocas palabras, las "As" con los acontecimientos malos. Las "Bs" son nuestras creencias y lo que nos decimos a nosotros mismos. Las "Cs" son nuestros sentimientos y conductas. Nuestras conversaciones mentales manejan mucho nuestros sentimientos. Usted necesita prestar mucha atención y escuchar atentamente para saber lo que sus conversaciones mentales están diciendo.

Lo Fundamental que hay que Recordar

- No es la gente desagradable la que causa su molestia, sino principalmente sus creencias y conversaciones mentales sobre la gente y sus acciones.

- La conducta de la persona difícil es nuestra "A" acontecimiento activador. Nuestra "B' son nuestras creencias y conversaciones mentales sobre las acciones de la persona difícil. Nuestras "Bs" principalmente causan nuestras "

- "Cs", consecuencias de ansiedad, ira, o frustración elevada.

- Para sobrellevar a la gente difícil, primero maneje su reacción emocional.

- Busque sus propias creencias irracionales que hacen que usted se altere exageradamente con la gente difícil.

- El exigir que alguien cambie y el decirnos a nosotros mismos que si no cambia es horrible, no-lo-podemos-soportar, y debieran condenarlo, hace que nos perturbemos emocionalmente y seamos menos efectivos cuando nos relacionamos con esa persona.

- Cuando se sienta enojado con alguna persona difícil, complete el Formulario de Auto-Análisis y Mejoramiento del ABCDE de la Gente Difícil para entender y manejar mejor sus sentimientos.

Lo Fundamental que Hay Que Recordar cuando ayude a los niños a que sean más adaptados en sus conductas y emociones:

- Sea un buen modelo para su hijo, especialmente cuando usted esté contrariado o en conflicto con otra persona. Su hijo está aprendiendo a manejar la frustración, las desilusiones, la ira, y el conflicto al observarlo a usted.

- No premie accidentalmente la mala conducta. La conducta que se premia se fortalece y es probable que ocurra otra vez en el futuro.

- Ayude a su hijo a mejorar la inteligencia emocional. Comience a enseñarle el ABC de sus emociones y como sus conversaciones mentales son la causa principal de sus emociones y su conducta.

- SOS Ayuda Para Padres es para padres (y otras personas) que quieren ayudar a niños entre los dos y los doce años. Use este libro para mejorar la adaptación emocional y de conducta de su hijo.

ES MÁS FÁCIL MEJORAR LA CONDUCTA DE
UN NIÑO QUE LA DE SUS PADRES.

NO ESPERE HASTA QUE SU HIJO SEA UN
ADOLESCENTE PARA MEJORAR SUS
HABILIDADES COMO PADRE.

Capítulo 11

Más Métodos Para Ayudarnos a Nosotros Mismos

RELACIÓNESE CON EL MUNDO TAL COMO ES,
NO "COMO DEBIERA SER".

"¡Ya estamos de acuerdo en que nuestro bote <u>no debiera esta haciendo agua</u> y lo hemos maldecido y condenado! ¡También estamos de acuerdo en que <u>el mundo debiera ser más justo</u> y <u>no debieramos tener este problema</u>! Ahora, ¿qué vamos a hacer?"

Es más sano aceptar una realidad desagradable y rápidamente afrontarla en lugar de quedarnos en nuestros "debieras" y exigir que no fuera así.

In este capítulo aprenderemos más métodos para ayudarnos a nosotros mismos. Es importante y es una ayuda a uno mismo el:

- Evitar el perfeccionismo y el postergar las obligaciones.

- Estudiar y practicar repetidamente los varios métodos de auto-ayuda que se presentan en SOS.

- Aceptar el hecho de que habrá tiempos en que seremos menos capaces de manejar nuestras emociones.

- Saber que hay recursos adicionales de auto-ayuda y

- Comprender cuándo y cómo se puede conseguir ayuda profesional.

Evite el Postergar las Obligaciones

Postergar las obligaciones es posponer, demorar, o evitar ciertas acciones. La gente pospone muchas obligaciones: el preparar la liquidación de impuestos, el escribir una monografía para finalizar el trimestre universitario, y el hacer las tareas de la casa. A menudo, esa postergación ocasiona muchos problemas adicionales.

En la vida, muchos de nosotros caemos en la postergación de nuestras obligaciones muy fácilmente. Si usted tiende a posponer, no está solo. Los métodos de auto-ayuda de SOS lo pueden ayudar a disminuir esta tendencia.

PERSPECTIVA DEL ABC DE NUESTRAS EMOCIONES Y CONDUCTAS

A ──Activa/Provoca── B ──Causa──> C		
Acontecimiento Activador	Creencias y Conversaciones Mentales	Consecuencias Emocionales y Conductuales
Obligaciones y acciones evitadas		**Postergación**

La acción evitada o la situación anticipada que estamos postergando, tal como limpiar el garage, es la A "acontecimiento activador". Nuestra postergación, frustración y desánimo son las C "consecuencias emocionales y conductuales".

Nuestra B "creencias y conversaciones mentales causan nuestra postergación. ¿Cuáles creencias irracionales tenderán más a causar nuestra postergación?

La creencia irracional # 7 (del Capítulo Seis), que se cita a continuación, es una de las más influyentes en nuestra postergación. Seguidamente se describirán también las consecuencias típicas de mantener esta creencia y se describiran alternativas eficaces.

#7. Es más fácil evitar y posponer las responsabilidades y dificultades que se nos presentan en la vida que confrontarlas.

Es horrible y no-puedo-soportar la frustración de tener que afrontar situaciones y problemas con los que no debiera tener que enfrentarme. Las dificultades y los problemasdebieran condenarse y maldecirse.

Consecuencias Típicas: Postergación y culpa, los pequeños problemas se convierten en problemas serios, uno se siente abrumado con las dificultades que se multiplican, se disminuye la tolerancia a la frustración, las metas principales se ven amenazadas, aparecen conductas contraproducentes, con frecuencia se dan síntomas de ansiedad y depresión.

Creencia Racional Alternativa: *El tratar con responsabilidades, tareas, y contratiempos es parte de la vida. Es mejor ocuparse el problema al principio, cuando no es tan terrible. Puedo-soportar el resolver problemas mientras ocurren. En realidad afrontar las obligaciones a tiempo hace la vida más fácil. Puedo comenzar una tarea aunque "no me sienta con ganas".*

Las Creencias y Conversaciones Mentales Irracionales (Bs) que Causan la Postergación

- *"El hacer estas tareas desagradables me causará demasiada frustración".*
- *"Mi incomodidad emocional va a ser demasiado grande para soportarla".*
- *"El mundo debiera ser fácil. No debiera tener que afrontar problemas y tareas porque son demasiado duros".*
- *"Afrontar un problema es horrible, terrible, catastrófico".*
- *"Es más fácil el evitar y posponer las dificultades y responsabilidades de la vida que afrontarlas".*
- *"No-puedo-soportar el riesgo y luego fracasar porque pierderé el respeto mi propio respeto y el respeto de los demás".*
- *Debo esperar hasta que "me sienta con ganas de hacerlo".*

Evite el Perfeccionismo

El perfeccionismo es una tendencia o disposición a considerar que aquello que no está cerca de la perfección no es aceptable. El perfeccionismo nos impone un nivel alto y poco realista tanto respecto de nuestro trabajo como de nuestra persona. (Dryden y Neenan, 1994). El aspirar a la excelencia en una amplia variedad de tareas no es malsano. Sin embargo, no es sano el juzgarme a mí mismo digno o aceptable sólo si alcanzo la perfección en la mayoría de las tareras.

El perfeccionismo puede causar postergación porque la perfección es una meta inalcanzable. La persona perfeccionista por lo general tiene mucha dificultad en comenzar una tarea o terminarla.

La creencia irracional #2 (del capítulo seis) con frecuencia lleva al perfeccionismo. A continuación se describen las consecuencias habituales de tener semejante creencia. También se ofrecen las creencias racionales alternativas.

#2   Debo ser meticulosamente competente, idóneo, y exitoso en todos los aspectos importantes para valer la pena. Debo ser 100% competente en todas las áreas importantes y si no lo soy, como debiera serlo, es horrible, no-lo-puedo-soportar, no valgo nada, debieran condenarme. Debe ser horrible el ser una persona promedio.

<u>Consecuencias típicas</u>: ansiedad, depresión, baja aceptación de uno mismo, baja auto-estima, postergacióm.

<u>Creencias racionales alternativas</u>: *Soy una persona imperfecta y falible que tiene tanto virtudes como limitaciones. Voy a esforzarme en ser mejor. Hay cosas que hago bien. Puedo aprender de mis errores y de los golpes duros de la vida.*

EL PERFECCIONISMO PUEDE CAUSAR POSTERGACIÓN

El ayudarnos a nosotros mismo requiere studio y práctica

Estudie y repita con frecuencia los muchos métodos de auto-ayuda que se presentan en SOS Ayuda con las Emociones. Especialmente haga lo siguiente:

- Copie y complete el formularion del ABCDE de auto-análisis y mejoramiento cuando sienta que está empezando a agitarse con los acontecimientos o la gente desagradable. Hágalo aún cuando tenga dificultades en identificar sus acontecimientos activadores desagradables. El uso de este formulario se explica en los Capítulos Cinco, Siete, Ocho, Nueve, y Diez.

- Usted también tiene que revisar con frequencia La Perspectiva del ABC de Nuestras Emociones para comprender y mejorar sus emociones cuando se sienta disgustado.

- Complete el Registro del Humor Diario cuando se sienta agitado. Este registro de su ánimo lo hará identificar los acontecimientos activadores y las creencias que están causando su angustia. El Registro del Humor Diario se describe en los Capítulos Tres, Siete, Ocho, y Nueve.

- Estudie y practique las sugerencias presentadas en varios capítulos. Simplemente una lectura superficial de SOS no será suficiente para promover el cambio en el que está interesado. Complete los cuestionarios y los ejercicios del Capítulo 12. Esto lo ayudará a evaluar su comprensión de los métodos de auto-ayuda de SOS.

- Piense en leer uno de los libros de auto-ayuda que se mencionan en este capítulo.

- Considere la ayuda profesional

- Obtenga información de las organizaciones de salud mental que se enumeran en este capítulo.

- Cuídese de las excusas y de la creencias irracionales que le impiden aplicar y practicar frecuentemente los métodos de auto-ayuda que ha aprendido. Una excusa es no dedicar suficiente tiempo a la práctica de los ejercicios. Otras creencias irracionales que pueden impedirle estudiar y aplicar lo que usted ha aprendido de SOS Ayuda con las Emociones son las siguientes:

#5 **No hay mucho que pueda hacer con mi ansiedad, ira, depresión, o infelicidad porque mis sentimientos son consecuencia de lo que me sucede.**

9 **Mi historia pasada es la causa principal de mi sentimientos y conductas presentes; aquello que en el pasado me influyó mucho continuará siempre ejerciendo una gran influencia en mi persona.**

- Evite la postergación y el perfeccionismo.

- Trate al mundo tal como es y no como "debiera ser" o "tuviera que ser"

- Con frequencia y enérgicamente cuestione las creencias irracionales que lo desalientan en el manejo y mejora de sus emociones. *Acepte el hecho de que habrá períodos en los que su habilidad para manejar sus emociones se verá disminuída.* No se condene a sí mismo cuando las situaciones estresantes se amontonan, y usted comienza a decaer y siente la tentación de darse por vencido. Tan pronto como pueda, recupérese y vuelva a manejar sus emociones más eficazmente.

- Los acontecimientos malos ocurren, cambie lo que pueda cambiar y acepte aquello que no pueda cambiar.

ACEPTE EL HECHO DE QUE HABRÁ PERÍODOS EN LOS QUE SU HABILIDAD PARA MANEJAR SUS EMOCIONES DISMINUIRÁ.

PSICOLOGÍA   LIBROS DE AUTO-AYUDA   AUTO-MEJORAMIENTO

"¡Oh no, yo no necesito un libro para mejorarme a mí misma! ¿Qué libros tiene para mejorar a los demás? Aquí tengo una lista de gente que necesita cambiar".

Recursos de Auto-Ayuda

El libro "SOS Ayuda con las Emociones: Cómo Manejar la Ansiedad, la Ira, y la Depresión" está basado en un método de psicoterapia llamado *Terapia Racional Emotiva y Conductal* (TREC), *en la terapia cognitiva conductual,* y *en la Perspectiva del ABC de las Emociones.* Los libros de auto-ayuda adicionales se listan a continuación.

El Manual Merck de Información Médica para el Hogar, Edición 2003 en el sitio de internet: http://msd.com.ve/msdve/corporate/index.html Es mi libro y página de internet favoritos para encontrar información sobre temas relacionados con los problemas de salud y sus tratamientos. La página de internet es un recurso valioso y se puede encontrar en Inglés y en Español. Para obtener información sobre medicamentos vaya al sitio http://www.nlm.nih.gov/medlineplus/spanish/medicines.html.

Libros de Terapia Racional Emotiva y Conductual. Libros de TREC.

Ellis, A. (2006). *El camino de la tolerancia.*

Ellis, A. y Harper, R. (2005). *Una nueva guía para la vida racional.*

Ellis, A. (2005). *Las relaciones con los demás: Terapias del comportamiento emotivo racional.*

Ellis, A. (2003). *Ser feliz y vencer las preocupaciones*

Ellis, A. (1999) *Cómo controlar la ansiedad antes de que le controle a usted.*

Otros libros de terapia cognitiva

Dinkmeyer, Don y McKay, Gary. (2007). *Como conocer sus sentimientos y aprender a manejarlos.*Este libro está pensado para ayudarlo a sobreponerse a las emociones fuertes y desagradables - culpabilidad, rabia, depresión, estrés, ansiedad- y alimentar la alegría y la felicidad.

Burns, David. (2006). *Adiós ansiedad: como superar la timidez, los miedos, las fobias, y las situaciones de pánico.*

Burns, David. (2005). *Sentirse Bien* (David Burns tiene también un sitio de internet http://www.feelingood.com

Burns, David. (1999). *El manual de ejercicios de sentirse bien.*

Sobre reafirmación personal

Alberti, Robert y Emmons, Michael. (2006). *Todo tu derecho.* Este libro ayuda a las personas a que defiendan sus derechos y a que manejaen sus problemas interpersonales sintiéndose seguras de sí mismas.

Alberti, Robert y Emmons, Michael. (1999). *Viviendo con autoestima.*

Alberti, Robert y Emmons, Michael. (1993). *Yo te acepto, tu me aceptas.*

Sobre relaciones humanas

Carnegie, Dale. (2006). *Como ganar amigos.*

Carnegie, D., Levine, S., y Crom, M. (2000). *Descúbrase como líder: como ganar amigos, influir sobre las personas, y tener éxito en un mundo cambiante.* Los profesionales de la salud mental le han dado a este libro críticas dispares pero, en mi opinión, este libro es de gran ayuda en el inicio y la mejora de las relaciones. Más de 15 millones de copias se han vendido desde su publicación inicial.

Sobre como auto-motivarse y lograr los objetivos personales

Covey, Stephen. (2005). *Los 7 hábitos de la gente altamente efectiva* (también en Audio CD, 2007). Covey presenta siete hábitos básicos que son importantes para lograr los objetivos personales.

Covey, Stephen. (2005). *El octavo hábito* (tambien en audio CD).

Sobre educación para padres de niños y adolescentes

Clark, Lynn (2003). *SOS ayuda para padres: una guía práctica para manejar problemas de conducta comunes y corrientes.* Bowling Green, KY: SOS Programs & Parents Press. Ilustrado y traducido a varios idiomas: Inglés, Español, Coreano, Chino, Húngaro, Turco, Islandés, y Arabe. Se presentan más de 20 habilidades y métodos prácticos para ayudar a los padres y maestros a manejar conductas problemáticas en las edades de dos a doce. El video SOS Ayuda para Padres está también en español y lo usan los educadores y consejeros en talleres de educación para padres. Para más información busque al final de este libro o visite la página de internet: /www.sosprograms.com

Dinkmeyer, Don y McKay, Gary. (1998). *Guía para los padres: Como conocer sus sentimientos y aprender a manejarlos.*

Faber, Adele y Mazlish, Elaine. (2006). *Como hablar para que los adolescentes escuchen y como escuchar para que los adolescentes hablen.*

Faber, Adele y Mazlish, Elaine. (2005). *Como hablar para que los niños escuchen y como escuchar para que los niños hablen.* Este libro ayuda a los padres a comunicarse mejor con sus hijos.

Schaefer, Charles. (2001). *Como hablar con adolescentes de los temas realmente importantes: preguntas y respuestas específicas.* Ese es un libro esencial para los padres de adolescentes. Algunas de las preguntas y respuestas incluyen: beber alcohol y manejar, SIDA, tatuajes, pandillas, depresión, etc.

Schaefer, Charles y Digeronimo, Theresa Foy. (1997). *Como hablar a los niños de cosas importantes.* Este libro único le da a los padres las palabras que necesitan cuando deben hablar con sus hijos sobre más de treinta temas delicados. Algunas de las preguntas que se tratan son: un nuevo bebé en el hogar, ir al doctor, repetir de grado, y pornografía. En mi opinión, este es un libro esencial para los padres de niños pequeños.

Cuándo y Cómo Conseguir Ayuda Profesional

Los profesionales de la salud mental nos pueden ayudar a aceptar lo que no podemos cambiar, a cambiar aquello que podemos, y ayudarnos a reconocer la diferencia.

El camino de la infancia a la vejez es largo, y a menudo dificultoso. Malas experiencias suelen ocurrir y el modo como las evaluamos puede ocasionar ansiedad, ira, y depresión duraderas, como así también otros sentimientos malsanos y destructivos.

Nuestras creencias irracionales y sentimientos malsanos pueden impedir el sentirnos contentos y el alcanzar nuestras metas.

Si las dificultades persisten a pesar de nuestros mejores esfuerzos en resolverlas, evite rendirse ante la ansiedad, desesperación, inactividad, culpa, depresión, e ira. Contacte a un terapeuta o consejero para que le de ayuda profesional.

Hágase las siguientes preguntas cuando piense en buscar terapia.

P.   *¿Cuándo debo buscar ayuda profesional?*

R.   Piense en buscar ayuda profesional cuando se sienta constantemente infeliz o tenga dificultades significativas en sus relaciones familiares o sociales. Usted puede también beneficiarse de la ayuda profesional si está sintiendo dificultates importantes en adaptarse a las exigencias del trabajo o de la escuela.

P.   *¿Cómo busco información sobre ayuda profesional en mi zona?*

R.   El encontrar información sobre consejeros competentes y agencias de servicio apropiadas que están en su comunidad toma trabajo. Pídale a su doctor que le recomiende al menos dos consejeros. Converse también con su doctor sobre la posibilidad de un examen físico general, puesto que hay varias enfermedades físicas que causan trastornos emocionales.

Otras fuentes de información sobre terapeutas o sobre agencias son los miembros del clero y los amigos. La mayoría de los servicios telefónicos para la asistencia en las crisis o las líneas de ayuda y los centros comunitarios de salud mental son recursos valiosos para encontrar información. Los directorios telefónicos listan psiquiatras, psicólogos, psicoterapeutas, consejeros matrimoniales y de familia, y trabajadores sociales clínicos.

Los profesionales que pueden ofrecer terapia y consejería son: médicos psiquiatras, licenciados en psicología, trabajadores sociales clínicos, o licenciados en consejería. La mayoría de los estados exigen que los profesionales de la salud mental estén certificados o licenciados.

P.   *¿Qué le pregunta a un consejero en su primer contacto?*

R.   Luego de haber obtenido los nombres de un par de consejeros o de servicios de consejería, usted tendrá que llamar por teléfono al consejero o a la agencia. Si el consejero tiene un consultorio privado, pida hablar directamente con él o ella. Cuéntele brevemente al consejero las dificultades que está teniendo. Menciónele que sabe que la terapia cognitiva puede ser de mucha ayuda. Dígale también que usted ha estado leyendo SOS Ayuda con las Emociones, que tiene una orientación de terapia cognitiva.

Pregúntele al consejero si el o ella puede ayudar a gente con dificultades como las suyas. Si le dice que no, pídale que le recomiende a alguien. Pregúntele sobre su formación profesional, su experiencia, y su licencia para ejercer como terapeuta.

Pregúntele sobre el costo de cada visita, la duración de las sesiones de terapia, cuántas sesiones serán necesarias y durante cuánto tiempo. Por lo general se necesitan al menos entre seis y diez sesiones.

Cuando recién empiece con su terapia es importante que tenga sesiones semanales de por los menos 45 minutos. No ayuda el tener sesiones de terapia una vez por mes o con sesiones que duran 20 o 30 minutos. La mayoría de los médicos psiquiatras no tienen tiempo de ver a sus pacientes de manera frecuente. Por lo general tienden a referir a sus pacientes a otros consejeros o terapeutas de su confianza.

P.   *¿Ayudan los medicamentos para la ansiedad y la depresión?*

R.   Los medicamentos que son antidepresivos o ansiolíticos (que calman la ansiedad) pueden ayudar a tratar los trastornos de ansiedad y depresión. No obstante, es importante acompañar la medicación con psicoterapia.

La decisión de tomar o no medicación la deben tomar usted y su doctor. Sólo los psiquiatras u otros médicos pueden recetar medicamentos. La mayoría de los terapeutas tienen una relación profesional con algún médico a quién suelen mandar a sus pacientes.

P.   *¿Cómo pago por los servicios profesionales?*

R.   La consejería y la terapia cuestan dinero, tanto como otras areas tales como la salud, la educación, el transporte, el entretenimiento, el comer afuera, y las vacaciones. Muchos planes de salud pagan por la terapia o por un número determinado de sesiones. Verifique con su compañia de seguro médico o pídale a su terapeuta que obtenga autorización. Tal vez usted quiera pagar las sesiones de su propio bolsillo.

P.   *¿La mayoría de los terapeutas usa TREC u otra forma de terapia cognitiva como enfoque de terapia?*

R.   Existe un volumen considerable de evidencia que apoya el valor de la terapia de enfoque cognitivo. Hay terapeutas de differentes orientaciones profesionales que usan elementos de la TREC y de la terapia cognitiva en su práctica. Numerables tratamientos efectivos se usan para ayudar a los pacientes. El efecto de la terapia depende en gran parte de la experiencia y la formación profesional del terapeuta como así también del esfuerzo que el paciente hace por cambiar.

"No hay progreso en mi terapia"

Jennifer me dijo que se sentía una fracasada porque "no había progresado en su terapia" a pesar de haberse reunido con su psiquiatra y tomado medicación durante casi dos años.

Le pregunté: *"¿Con qué frecuencia lo ves?" Me dijo: "una vez por mes". "¿Cuánto tiempo duran tus sesiones?", le pregunté. Jennifer dijo: "unos 10 minutos. Me pregunta cómo ando, escribe unas notas, me da otra receta, y me voy".*

Me decepcionó lo que oí. Jennifer recibe "sólo medicación" pero cree que también recibe terapia. Le expliqué que las sesiones individuales de terapia por lo general duran unos 50 minutos y las sesiones grupales duran aún más. Le sugerí que hablara con su psiquiatra para recibir terapia junto con la medicación.

Los psiquiatras que generalmente ven a sus pacientes sólo para darles medicación debido a limitaciones de tiempo, suelen referirlos a un consejero para que les de terapia.

Cuatro maneras de recibir ayuda

Terapia individual: *un terapeuta se reúne con un paciente para terapia individual.* En las terapias cognitivas a los pacientes se les pide que estudien materiales de auto-ayuda, tales como *SOS Ayuda con las Emociones.**

---

* En la TREC es importante que el paciente aprenda los conceptos de la TREC tales como la perspectiva del ABC de las emociones. En SOS Ayuda con las Emociones se enseñan muchos conceptos de terapia cognitiva.

Terapia grupal: *un terapeuta se reúne con varios pacientes para terapia grupal.* La terapia grupal por lo general se recomienda después de habler completado varias sesiones individuales. Es más económica que la terapia individual y tiene también otras ventajas. Los participantes de la terapia grupal aumentan su experiencia ayudándose mutuamente, reconociendo y aplicando principios cognitivos tales como los tres deberes principales, las cinco conexiones calientes, el desafiar las creencias irracionales, el cambiar las exigencias en preferencias, etc. El grupo puede ayudar a los participantes a identificar sentimientos que están a un bajo nivel de autoconciencia. Los terapeutas cognitivos por lo general le piden a los participantes del grupo que estudien los materiales de auto-ayuda.

Consejería matrimonial: *El consejero se reúne con la pareja para consejería matrimonial o terapia de parejas.* El mejorar las creencias irracionales y la baja tolerancia a la frustración en ambos miembros de la pareja puede ayudar a la relación.

Terapia familiar: *El terapeuta se reúne conjuntamente con todos los miembros de la familia en terapia familiar.* Muchos terapeutas de familia creen que el mejor modo de resolver tanto los problemas individuales como los problemas en las relaciones es reuniéndose con todos los miembros de la familia al mismo tiempo.

Preguntas sobre TREC, los valores morales y el cristianismo

P.   *Cuando trabajan con sus pacientes, muchos terapeutas de TREC hablan con bastante irreverencia, ¿por qué?*

R.   Albert Ellis, el fundador de TREC, es muy conocido por su uso de un lenguaje irreverente y directo (Dreyden y Neeman, 1994)*. Ellis creía que cuando el terapeuta usa un lenguaje irreverente

---

* Para una breve discusión de moralidad, irreverencia, religión, y la terapia TREC diríjase al *Diccionario de Terapia Racional Emotiva y Conductual* de Dreyden y Neeman (1994). Lea también 'Los pros y las contras de usar un lenguaje irreverente" en el libro *The REBT Resource Book for Practitioners* (Bernard & Wolfe, 1993).

le ayuda a fortalecer la relación y sirve para enfatizar los puntos importantes. Algunos terapeutas de TREC creen que la irreverencia facilita que el paciente reconozca y exprese sentimientos desagradables. Sin embargo, muchos terapeutas consideran que el uso excesivo de palabrotas por parte del terapeuta es ofensivo y no ayuda a la terapia.

P.   *¿Cuál es la perspectiva de TREC sobre la culpa?**

R.   El violar su código moral es la causa mayor de culpa. TREC cree que el remordimiento y el arrepentimiento deben reemplazar a la culpa y que la persona puede decidirse a mejorar su conducta en el futuro.

La culpa es la creencia: "no debiera haber hecho eso (una mala acción). Pero como ya he cometido ese acto, es horrible, no-lo-puedo-soportar, soy una mala persona."

Las alternativas racionales a la culpa son el arrepentimiento y el remordimiento. Ambos implican la creencia racional: "*Preferiría no haberlo hecho. Ese acto fue muy malo. Siento mucho el haberlo cometido, me siento verdaderamente arrepentido. I aunque no me agrade, puedo-soportar el haber cometido semejante acto. Aunque mi conducta fuera muy mala, no soy una persona absolutamente mala. Al contrario, soy un ser complejo, un ser humano falible que se comportó mal. Prefiero hacer reparaciones y entender qué me llevó a actuar de esa manera, para no hacerlo más en el futuro.*"

La fe cristiana presenta alternativas adicionales para resolver la culpa. Estas incluyen la confesión y el perdón. No veo ningún conflicto fundamental entre el cristianisto y la TREC.

P.   ¿Qué es lo que la TREC dice sobre la oración?

R.   Cuando la gente de diversas confesiones religiosas reza, generalmente pide que los acontecimientos malos (As) se acaben o que sus sentimientos deprimentes (Cs) se alivien. Sin embargo, lo que la gente nesecita es pedir ánimo y ayuda para alcanzar creencias y conversaciones mentales racionales (Bs.) son las causas principales de los sentimientos (Cs). Esto se afirma en un libro excelente de Nielsen, Johnson, y Ellis (2001).

SEÑOR, CONCÉDEME SERENIDAD PARA ACEPTAR LAS COSAS QUE NO PUEDO CAMBIAR. CORAGE PARA CAMBIAR AQUELLAS QUE PUEDO, Y SABIDURÍA PARA RECONOCER LA DIFERENCIA.

Organizaciones de salud mental

Piense en contactar algunas de las organizaciones siguientes para obtener información sobre problemas de adaptación, problemas emocionales, consejería, terapia o métodos de auto-ayuda. La mayoría de estas organizaciones tienen materiales impresos sobre problemas y trastornos emocionales y sus tratamientos. En algunos casos proveen nombres de terapeutas y grupos de auto-ayuda.

La asociación americana de los trastornos de ansiedad

Dirección: 11900 Oarklawn Drive, Suite 100, Rockville MD 20852

Teléfono: 301-231-9350

Página de Internet: http://www.1on1health.com/web/info/anxiety/spanish/anxiety-and-panic/More-Resources

La asociación argentina de trastornos de la ansiedad

Página de Internet: http://www.ansiedad-aata.org/trastornos.html

La Alianza Nacional de Enfermedades Mentales (NAMI)

Dirección: Colonial Place Three, 2107 Wilson Boulevard, Suite 200, Arlington VA 22201

Teléfono: 800-950-6264

Página de Internet:http://www.nami.org. Seleccione "En Español" al comienzo de la página.

El trastorno maníaco depresivo también se llama bipolar.

La Alianza de Apoyo a Personas con Depresión y Trastorno Bipolar

Dirección: 730 N. Franklin Street, Suite 501, Chicago, IL 60610

Teléfono: 800-826 -3632

Página de Internet:http://www.dbsalliance.org/site/PageServer?pagename=esp_home

El trastorno maníaco-depresivo se llama también trastorno bipolar.

PARA RECTIFICAR SUS EMOTIONES, RECTIFIQUE PRIMERO SUS CREENCIAS IRRACIONALES Y CONVESACIONES MENTALES.

Como se mencionó anteriormente, la base de SOS
Ayuda con las Emociones: Como Manejar la Ansiedad, la Ira,
y la Depresión se trata de terapia racional emotiva y
conductual.* Más información sobre la TREC se puede
encontrar en esta organización: Albert Ellis Institute for Rational
Emotive Behavior Therapy, 45 East 65th Street, New York NY
10021. Teléfono: 212-535-0822 o 800-323-4738. Pida el
catálogo. La página de Internet es: http://www.rebt.org

Lo Fundamental que Hay Que Recordar

- Evite la postergación y el perfeccionismo

- Trate al mundo tal como es y no como "debiera ser" o
  "tiene que ser"

- Cuando ocurran acontecimientos negativos, acepte lo
  que no pueda cambiar, cambie lo que pueda, y esfuércese
  en reconocer la diferencia.

- Reconozca que los profesionales de la salud mental nos
  pueden ayudar a cambiar lo que podemos cambiar y a
  aceptar lo que no podemos cambiar.

- Complete los cuestionarios y ejercicios del Capítulo 12.

- Tenga conciencia de las excusas y las creencias
  irracionales que le están impidiendo aplicar y practicar los
  variados métodos de auto-ayuda que aprendió en SOS.

- Lea y estudie los materiales de auto-ayuda en su area de
  interés.

El Manual Merck de Información Médica para el Hogar, Edición 2003 en el sitio de
internet: http://msd.com.ve/msdve/corporate/index.htmln es mi libro y página de
internet favoritos para encontrar información sobre temas relacionados con los
problemas de salud y sus tratamientos. La página de internet es un recurso valioso
y se puede encontrar en Inglés y en Español. Para obtener información sobre
medicamentos vaya al sitio http://www.nlm.nih.gov/medlineplus/spanish/
medicines.html.

* La terapia racional emotiva y conductual y SOS Ayuda con las Emociones
son ambos parte de la terapia cognitiva.

- Acepte el hecho de que habrá períodos en los que su habilidad para manejar sus emociones se verá reducida. No se condene a sí mismo cuando los acontecimientos estresantes se acumulan y usted comienza a retroceder o quiere darse por vencido. Tan pronto como pueda, recupérese y vuelva a manejar sus emociones más efectivamente.

- Pruebe su comprensión de los Capítulos 10 e 11 y de los capítulos anteriores. Vaya al Capítulo 12 y complete la Cuarta Parte de los cuestionarios y ejercicios.

QUÉ ME DIGO A MÍ MISMO:
SOBRE MÍ MISMO,
SOBRE LOS DEMÁS,
SOBRE UNA SITUACIÓN DESAGRADABLE

RESPONDA A SUS CONVERSACIONES MENTALES
IRRACIONALES Y CONTRAPRODUCENTES.

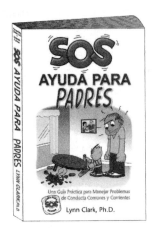

DVD Video SOS Ayuda Para Padres
www.sosprograms.com

SOS Ayuda Para Padres

NO ESPERE HASTA QUE SU HIJO SEA UN
ADOLESCENTE PARA MEJORAR SUS
HABILIDADES COMO PADRE.

Visite nuestro sitio de internet y vea las
muestras de los videos de SOS sobre
métodos para manejar la conducta de los
niños, tanto en Español como en Inglés.
Puede bajar copias gratis de los materiales
de SOS en <**www.sosprograms.com**>

Capítulo 12
Cuestionarios y Ejercicios

Para evaluar su comprensión de SOS complete los cuestionarios y ejercicios en este capítulo. Para lograr un cambio real y seguro en sus pensamientos, sentimientos, y conductas necesitará practicar con frecuencia los ejercicios y métodos que se enseñan en SOS.

Para aumentar su habilidad en el tennis tiene que practicar. De la misma manera, para aumentar su habilidad en la comprensión y manejo de sus emociones tiene que practicar lo que ha aprendido.

Luego de responder a las preguntas en la Parte Primera, compare sus respuestas con las que se dan en el libro. Para más información y ayuda con los ejercicios, vaya a los Capítulos Uno, Dos, y Tres. Si a usted le han prestado este libro o piensa prestárselo a otros, tal vez prefiera fotocopiar estas páginas de ejercicios para marcar en ellas sus respuestas.

CUESTIONARIOS Y EJERCICIOS DE LA PARTE PRIMERA ABARCAN LOS CAPÍTULOS 1, 2, Y 3

Preguntas de la Parte Primera que abarca los Capítulos Uno, Dos, y Tres. Elija la mejor respuesta a las siguientes preguntas. Algunas preguntas son fáciles y otras son difíciles. No se espera que todos acierten en todas las respuestas.

1. Nuestra respuesta "confrontar o escapar":
    a. le hizo la vida más fácil a los tigres feroces
    b. no ayudó a nuestros antepasados
    c. puede causar problemas en nuestra adaptación al mundo moderno
    d. no fue posible hasta que la gente fue capaz de volar en el siglo veinte

2. Nuestras cuatro emociones principales son:
    a. depresión, contento, ansiedad, y frustración.
    b. contento, depresión, ansiedad, e ira.
    c. depresión, ansiedad, ira, y más ira.
    d. ansiedad, miedo, ira, y baja auto-estima

3. Nuestras emociones están controladas en gran parte, pero no totalmente, por:
    a. situaciones desagradables
    b. situaciones desagradables y gente difícil
    c. nuestra base genética y las experiencias de la infancia
    d. nuestras creencias y conversaciones mentales

4. El éxito en nuestro trabajo y las evaluaciones positivas de nuestros supervisores están estrechamente relacionadas con:
    a. la buena suerte
    b. la inteligencia emocional
    c. la posición de las estrellas en el momento en que nacimos
    d. la inteligencia general

5. Las letras TREC significan:
    a. terapia de la realidad, el esfuerzo y la conducta
    b. terapia racional emotiva y conductual
    c. terapia de responsabilidad por las emociones y conductas propias
    d. teoría de la realidad, empatía y compasión

6. ¿Cuál de las respuestas siguientes es falsa?
    a. las creencias y conversaciones mentales son lo que creemos y nos decimos a nosotros mismos sobre los acontecimientos activadores
    b. las creencias y conversaciones mentales pueden ser racionales o irracionales
    c. las creencias y conversaciones mentales sólo incluyen los pensamientos racionales
    d. las creencias y conversaciones mentales se despiertan y activan con los acontecimientos activadores.

7. Nuestras consecuencias C de nuestras emociones y conductas tiene su causa en:
    a. los acontecimientos y situaciones
    b. las creencias y conversaciones mentales sobre los acontecimientos y situaciones
    c. factores genéticos, hereditarios, y las experiencias de la infancia
    d. el modo como los demás nos tratan

8. El creer que los acontecimientos activadores "A" son la causa directa de las consecuencias emocionales y conductuales "C" se llama:
    a. pensamiento recto   b.   pensamiento A-B-C
    c. pensamiento sano   d.   pensamiento torcido

9. El vivir contento requiere:
    a. el conocer el ABC de nuestras emociones
    b. mucha suerte
    c. una actitud ignorante e ingenua
    d. un coeficiente intelectual alto y buena educación

10. ¿Cuál de estos deberes principales causa perturbación emocional?:
    a. ¡tú (él o ella) deben!
    b. ¡el mundo y las condiciones en que vivo deben!
    c. ¡yo debo!
    d. todas las respuestas anteriores son causa de perturbación emocional.

11. ¿Cuál de las siguientes opciones no es una de las cinco conexiones calientes?
   a. catastrofismo
   b. no-lo-puedo-soportarismo
   c. preferencias y deseos
   d. no valgo nada

12. ¿Qué es lo que conecta los tres deberes principales con las emociones desagradables y malsanas?
   a. siempre y nunca
   b. condena y maldición
   c. no valgo nada
   d. todas las respuestas anteriores pueden conectar los tres deberes principales con emociones desagradables y malsanas
   e. ninguna de las respuestas anteriores pueden conectar los tres deberes principales con emociones desagradables y malsanas

13. ¿Cuál es la causa principal de la perturbación emocional?
   a. el convertir nuestros deseos y preferencias en deberes y exigencias absolutas
   b. el mantener nuestros deseos y preferencias como deseos y preferencias
   c. el reconocer que tenemos deseos y preferencias
   d. el reconocer que los demás tienen deseos y preferencias

14. Nuestras creencias irracionales se originan en:
   a. nuestros padres y familia
   b. la sociedad en general
   c. los medios de comunicación masiva
   d. nuestro modo particular de pensar
   e. en todas las respuestas anteriores

15. ¿Cuál de las siguientes conversaciones mentales reflejan un pensamiento racional A-B-C, que toma responsabilidad por los sentimientos negativos propios?
   a. "Ella hirió mis sentimientos con lo que dijo".
   b. "Mi jefe me hizo enojar y cuanto más pienso en lo que dijo, más me enojo".
   c. "Me perturbé a mí mismo con la conducta de ese empleado".
   d. "Me deprimió lo que me dijo sobre la experiencia terrible que sufrió".

Respuestas a las preguntas de la Parte Primera:
1c 2b 3d 4b 5b 6c 7b 8d 9a 10d 11c 12d 13a 14e 15c

Ejercicios de la Parte Primera que cubren los Capítulos 1, 2, y 3. Copie y complete.

Ejercicio A:
 ¿Qué significan las letras siguientes?

 A _____
 B _____
 C _____

Ejercicio B:
 Los tres deberes principales son

 _____
 _____
 _____

Ejercicio C:
 Nombre la mayor cantidad posible de conexiones calientes

 _____
 _____
 _____
 _____
 _____

Ejercicio D
 Las cuatro emociones básicas son

 _____
 _____
 _____
 _____

Ejercicio E: Copie el formulario de auto-análisis A-B-C. Elija una situación reciente en la que usted se sintió perturbado y luego complete el formulario.

Formulario de Auto-Análisis del A-B-C

Fecha:_____

A **Acontecimiento** **Activador** (Acontecimiento desagradable o situación; pueden ser también acontecimientos que se anticipen):

B **Creencias** **y** **Conversaciones** **Mentales** (Sus creencias irracionales y conversaciones mentales, especialmente sus debieras, sus deberes absolutos, y sus cinco conexiones calientes):

C **Consecuencias:** **Emocionales** **y** **Conductuales** (Sus emociones desagradables y conductas inadaptadas):
Emociones:

Conducta (tanto actuada como contemplada):

Estos son los pasos para completar un Auto-Análisis siguiendo el ABC.

Primero escriba lo que usted considera que ha sido el acontecimiento activador.

Segundo escriba en la C las consecuencias emocionales y conductuales.

Tercero, escuche atentamente a sus creencias y conversaciones mentales B. Luego escríbalas en lo que sospecha son sus creencias irracionales y conversaciones mentales. Preste especial atención a su uso de los tres deberes principales y de las cinco conexiones calientes (pro ejemplo, no-lo-puedo-soportarismo). *El detectar sus creencias y conversaciones mentales B es la parte más difícil de su auto-análisis.*

Ejecicio F:

Copie el Registro del Humor Diario. Entre el promedio estimado de ansiedad, ira, y depresión que sintió hoy.
Agregue algunos comentarios sobre el humor que sintió hoy.

El Registro del Humor Diario:
Registro de la ansiedad, la ira, y la depresión

En una escala de 1 a 10 escriba el número que corresponde al promedio de su humor diario. Leve es 1 a 3, moderado es 4 a 5, alto es 6 a 8, y grave es 9 a 10.

Fecha/ hora	Ansiedad	Ira	Depresión	Notas

Las instrucciones siguientes describen cómo se mantiene un Registro del Humor Diario.

Primero, decida cuál de las emociones básicas va a registrar. Preste mucha atención a esas emociones. Registre el promedio aproximado de su humor correspondiente a las emociones que ha seleccionado para monitorear. Hágalo cada día. Entre anotaciones que lo ayuden a comprender mejor sus emociones.

LEA, ESTUDIE, PRACTIQUE SOS

CUESTIONARIOS Y EJERCICIOS DE LA PARTE SEGUNDA
ABARCAN LOS CAPÍTULOS 4, 5, Y 6

Preguntas de la Segunda Parte que abarca los Capítulos Cuatro, Cinco, y Seis. Fotocopie y complete. Elija la mejor respuesta a las siguientes preguntas.Algunas preguntas son fáciles y otras son difíciles. No se espera que todos acierten en todas las respuestas.

1. Los tres deberes prinicipales:
   a. incluyen preferencias y deseos
   b. conducen a estabilidad emocional
   c. incluyen los deberes y debieras.
   d. nos ayudan a lograr nuestros objetivos

2. El manejar nuestras emociones es un aspecto importante de:
   a. nuestra inteligencia emocional
   b. el éxito en el logro de nuestros objetivos
   c. nuestra felicidad
   d. todas las respuestas anteriores son correctas

3. Un ejemplo de un problema emocional (en contraste con un problema práctico) es:
   a. sacar notas bajas
   b. estar atrasado dos meses en el pago del alquiler
   c. no tener con quién salir un sábado a la noche
   d. sentir ansiedad por tener 50 dólares en la cuentra corriente
   e. todos las respuestas anteriores son correctas

4. Con respecto a los problemas prácticos y los emocionales:
   a. es mejor solucionar primero el problema emocional y luego el práctico
   b. es mejor solucionar el problema práctico y luego el emocional.
   c. es indistinto cuál problema solucionamos primero
   d. la mayoría de los problemas son imposibles de solucionar.

5. ¿Cuál de las siguientes es una afirmación verdadera?
   a. lo mejor es establecer un objetivo de como quiere sentirse y actuar en respuesta a las situaciones difíciles
   b. es mejor elegir nuestros "modelos de comportamiento" en las películas de acción y violencia.
   c. quien usted elija como "modelo de comportamiento" no tiene ninguna influencia en sus emociones y conducta
   d. ninguna de las afirmaciones anteriores es verdadera.

6. Ayudarse a sí mismo a sentirse incómodo en lugar de enojado o furioso se llama:
    a. decidir un objetivo para sus emociones
    b. practicar fantasía mental
    c. auto-engaño y absurdo
    d. reemplazar emociones malsanas con emociones sanas.

7. Cambiar sus exigencias y deberes en deseos y preferencias:
    a. no es saludable
    b. aumenta la frustración
    c. es ridículo
    d. es saludable

8. La afirmación: "Aunque no me guste, no hay inconveniente, igual lo puedo soportar" se llama:
    a. distracción y diversión
    b. una conversación mental que ayuda a sobrellevar
    c. fantasía mental
    d. un acontecimiento activador

9. El conocer nuestros pensamientos y conversaciones mentales irracionales es:
    a. esencial en el manejo de nuestras emociones
    b. importante para evitar problemas emocionales
    c. de gran ayuda para calmar nuestras emociones
    d. todas las respuestas anteriores son correctas

10. Las creencias racionales, en contraste con las irracionales:
    a. incluyen las cinco conexiones calientes
    b. son lógicas, basadas en la reaidad, de auto-ayuda, y útiles
    c. por lo general estás basadas en los deberes, debieras y tuvieras.
    d. no son muy divertidas

11. El preguntarse a uno mismo: "¿Qué me estoy diciendo a mí mismo sobre los demás?" es un ejemplo de:
    a. disputar y debatir las creencias irracionales
    b. detectar e identificar las creencias irracionales
    c. un acontecimiento activador
    d. consecuencias emocionales y conductuales

12. ¿Por cuánto tiempo necesita disputar una creencia irracional?
    a. hasta que se irrite consigo mismo
    b. hasta que detecte otra creencia irracional
    c. hasta que la creencia irracional le conteste
    d. hasta que no crea más en ella.

13. El creer que el mundo es demasiado duro y decirse a usted mismo "No puedo soportar que sea tan duro" es:
    a. frustración
    b. baja tolerancia a la frustración
    c. pensamiento racional
    d. calmarse y apaciguarse
    e. baja auto-aceptación

14. El decirse a usted mismo "No creo que pierda mi trabajo, pero si lo pierdo, lo puedo soportar y conseguiré uno nuevo" es un ejemplo de:
    a. pensamiento positivo
    b. frustración
    c. pensamiento racional
    d. pensamiento irracional e irrealista

15. El creer que "El mundo debiera ser absolutamente justo conmigo" es un ejemplo de:
    a. preparse para sentirse decepcionado
    b. pensamiento irracional
    c. un causa de ira, ansiedad y depresión
    d. todas las respuestas anteriores son correctas.

Respuestas a las preguntas de la Parte Segunda:
1c 2d 3d 4a 5a 6d 7d 8b 9d 10b 11b 12d 13b 14c 15d

Ejercicios de la Parte Segunda. Abarcan los Capítulos 4, 5, y 6. Copie y complete.

Ejercicio A:
     Escriba los nombres que faltan en las ocho líneas.

La Perspectiva del ABC de Nuestras Emociones

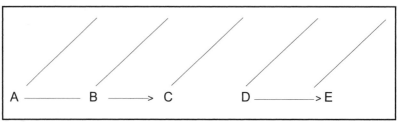

Ejercicio B:
     Como las conversaciones mentales causan las emociones. Complete los renglones.

     Los tres deberes principales son:
     1. _____
     2. _____
     3. _____

          Las cinco conexiones calientes son:
          1. _____
          2. _____
          3. _____
          4. _____
          5. _____

          Las tres emociones malsanas principales son:
          1. _____
          2. _____
          3. _____

Ejercicio C:
     Copie el formulario del ABCDE del auto-análisis y mejoramiento. Elija una situación reciente por la que se sintió perturbado (o todavía se siente) y complete el formulario.

El Formulario de Auto-análisis y Mejoramiento del ABCDE

Fecha:

A **Acontecimiento** **Activador** (Situación o evento desagradables; pueden ser eventos anticipados):

B **Creencias y Conversaciones Mentales** (Sus creencias y conversaciones mentales irracionales, especialmente sus debo, debieras absolutos, y las cinco conexiones calientes):

C **Consecuencias** **Emocionales y Conductuales** (Sus emociones desagradables y conductas inadaptadas):

Emociones:

Conducta (o conducta contemplada):

D **Disputar y Debate** (Disputa sus creencias irracionales y conversaciones mentales, especialmente sus deberes, debieras absolutos, y las cinco conexiones calientes):

E **Efectos** (Efectos del disputar: Nuevas emociones y conductas):

Copie este formulario. Complete los pasos en este orden: A, C, B, D, y E. Cuando esté disgustado, siga los métodos de auto-ayuda de los Capítulos 4 y 5. Cuando complete la B, busque sus deberes, debieras absolutos, y cinco conexiones calientes. Fíjese si usted está también creyendo cualquiera de las 11 creencias irracionales que se describen en el Capítulo Seis.

CUESTIONARIOS Y EJERCICIOS DE LA PARTE TERCERA
ABARCAN LOS CAPÍTULOS 7, 8, Y 9

Preguntas de la Tercera Parte que abarcan los Capítulos Siete, Ocho, y Nueve. Fotocopie y complete. Elija la mejor respuesta a las siguientes preguntas.Algunas preguntas son fáciles y otras son difíciles. No se espera que todos acierten en todas las respuestas.

1. Los sentimientos y emociones básicos que causan gran perturbación son:
    a. ira
    b. depresión
    c. ansiedad y miedo
    d. todos las repuestas anteriores

2. ¿Qué es lo que conduce a un trastorno de ansiedad?"
    a. problemas y condiciones médicas
    b. situaciones malas
    c. creencias irracionales
    d. todas las respuestas anteriores

3. Cuando uno se siente preocupado, tenso y ansioso es importante que:
    a. nos distraigamos pensando en otra cosa
    b. reconozcamos que son nuestras creencias irracionales y conversaciones mentales las que causan principalmente nuestras emociones
    c. reconozcamos que son los acontecimientos negativos los que causan principalmente nuestros problemas emocionales
    d. encontremos a la persona que es responsable de que nos sintamos de esta manera y tratemos primero con esa persona

4. SOS Ayuda con las Emociones esta basado en:
    a. el ABC de nuestras emociones
    b. en la terapia racional emotiva y conductual
    c. las dos respuestas primeras
    d. ningua de las dos primeras respuestas

5. Cuando afronte la ansiedad es importante que:
    a. trate primero el problema emocional
    b. reemplace los deberes principaes con preferencias y deseos
    c. use conversaciones mentales de afrontamiento
    d. abandone cualquiera de las cinco conexiones calientes que esté usando
    e. todas las respuestas anteriores son especialmente importantes

6. Cuando se siente ansioso y contrariado una de las peores cosas que puede hacer es:
   a. considerar un tiempo de prueba de medicación para la ansiedad
   b. pensar en solicitar un examen físico general.
   c. usar alcohol o drogas "recreativas"
   d. ver a un terapeuta

7. De las siguientes emociones ¿cuál es la que menos se admite que es un problema emocional?
   a. ansiedad
   b. ira
   c. depresión
   d. poca aptitud mecánica

8. El experimentar "una perturbación considerable o incapacidad significativa en las relaciones con los demás, en la capacidad para trabajar, en el hogar, o como estudiante" es una descripción de:
   a. un individualista que ha sufrido por largo tiempo
   b. un problema emocional
   c. un trastorno emocional
   d. ninguna de las respuestas anteriores es correcta

9. La ira está principalmente condicionada por:
   a. los demás cuando actúan mal, desconsiderada y erróneamente
   b. un mundo injusto
   c. una subida en la adrenalina
   d. lo que creemos y nos decimos a nosotros mismos sobre los acontecimientos negativos

10. Una situación desagradable que usted cree que lo ha enojado se llama:
    a. consecuencias de las emociones y conductas
    b. un acontecimiento activador
    c. creencias y conversaciones mentales
    d. discutir y disputar

11. ¿Cuál es el mejor método para manejar su ira para que lo perturbe menos?
    a. decirse a uno mismo "Yo no me enojo"
    b. contener la ira y dejar que desaparezca
    c. soltar la ira y expresarla
    d. bajar el nivel de ira

12. Lo que principalmente provoca nuestra ira es:
    a. la baja tolerancia a la frustración
    b. la amenaza a nuestra auto-estima
    c. el valorar la dureza y la agresión
    d. todos las respuestas anteriores son correctas

13. Lo que principalmente provoca nuestra depresión es:
  a. pensar en la posibilidad de perder algo importante en el futuro
  b. la pérdida de alguien importante
  c. aceptar la pérdida de alguien importante sin exigir que no hubiera sucedido
  d. ninguna de las respuestas anteriores es correcta

14. El modo principal de afrontar nuestra baja auto-estima es:
  a. comenzar un programa para mejorar sus características y logros personales
  b. esforzarse en caerle mejor a más gente
  c. esforzarse en lograr más auto-aceptación
  d. ir a un campamento de verano que ayuda con la auto-estima

15. La mayoría de los problemas emocionales graves vienen de:
  a. las creencias y pensamientos irracionales
  b. los traumas emocionales y una infancia psicológicamente deprivada
  c. poca capacidad para comunicarse y habilidades sociales limitadas
  d. necesidades y motivos sexuales agresivos e inconscientes

(Los ejercicios de la Tercera Parte están en la página siguiente.)

LEA, ESTUDIE, PRACTIQUE

Respuestas a las preguntas de la Parte Tercera:
1d 2d 3b 4c 5e 6c 7b 8c 9d 10b 11d 12d 13b 14c 15a

Ejercicios de la Terecera Parte que abarcan los Capítulos 7, 8, 9, y también los capítulos anteriores. Algunos de estos ejercicios ya se han dado anteriormente. Copie y complete.

Ejercicio A:
> Escriba los nombres que faltan en las ocho líneas.

La Perspectiva del ABC de Nuestras Emociones

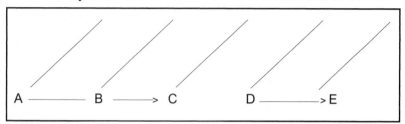

Ejercicio B:
> Como las conversaciones mentales causan las emociones. Complete los renglones.
>
> Los tres deberes principales son:
> 1. _____
> 2. _____
> 3. _____
>
> > Las cinco conexiones calientes son:
> > 1. _____
> > 2. _____
> > 3. _____
> > 4. _____
> > 5. _____
> >
> > Las tres emociones malsanas principales son:
> > 1. _____
> > 2. _____
> > 3. _____

Ejercicio C:
> Copie el formulario del ABCDE del auto-análisis y mejoramiento. Elija una situación reciente por la que se sintió perturbado (o todavía se siente) y complete el formulario.

EJERCICIOS DE LA PARTE CUARTA QUE ABARCAN
LOS CAPÍTULOS 10 Y 11

Preguntas de la **Quarta Parte** que abarcan los Capítulos Diez y Once. Fotocopie y complete. Elija la respuesta mejor a las siguientes preguntas.Algunas preguntas son fáciles y otras son difíciles. No se espera que todos acierten en todas las respuestas.

1. Si usted se siente alterado cuando está tratando con una personal difícil lo mejor es:
    a. tratar primero su propia perturbación y luego a la persona difícil
    b. tratar primero a la personal difícil y luego atender a su propia perturbación.
    c. no ceder a las demandas de la persona difícil porque emporará su comportamiento
    d. evitar a la gente difícil

2. En la perspectiva del ABC de las emociones, el comportamiento de una persona difícil puede considerarse como:
    a. las consecuencias de las emociones y las conductas
    b. el acontecimiento activador
    c. creencias y conversaciones mentales
    d. disputar y debatir
    e. horrible, terrible, espantoso

3. No es la gente desagradable la que causa nuestra perturbación sino:
    a. su conducta y lo que dice
    b. sus motivos e intenciones reales
    c. nuestras creencias y conversaciones mentales sobre su conducta e intenciones
    d. el impacto que su conducta tiene en nuestras vidas

4. En la perspectiva del ABC de nuestras emociones, nuestas respuestas (incluyendo la ansiedad, ira o depresión) a la conducta de la persona difícil puede considerarse:
    a. consecuencias de las emociones y conductas
    b. acontecimientos activadores
    c. creencias y conversaciones mentales
    d. disputar y debatir

5. El decirse a uno mismo: "Los demás tienen que darme absolutamente lo que quiero y deben comportarse como yo quiero y si no lo hacen es horrible y no-lo-puedo-soportar" es:
    a. baja tolerancia a la frustración
    b. creencias y conversaciones mentales irracionales
    c. exigencia exagerada
    d. todas las respuestas anteriores son correctas

6. La afirmación "Me disgusta el comportamiento de esta persona pero lo puedo soportar" es:
   a. una conversación mental de afrontamiento
   b. una conversación mental y creencia racionales
   c. las dos respuestas primeras son correctas
   d. las dos respuestas primeras son incorrectas

7. Adivinar (en silencio, no en voz alta) las creencias irracionales de la persona difícil:
   a. es una pérdida de tiempo
   b. es aún más perturbador
   c. lo ayuda a comprender mejor a la persona difícil
   d. es absurdo

8. Cuando trate de sobrellevar a gente difícil todo lo siguiente ayuda, excepto:
   a. cambiar la ira propia en disgusto
   b. expresar ira intensa
   c. expresar su disgusto pero no su ira
   d. ser firme en expresar lo que quiere en lugar de ser pasivo y agresivo

9. ¿Qué creencia irracional causa la tendencia a la postergación?
   a. "Esta tarea me causará demasiada frustración."
   b. "Mi incomodidad emocional al hacer esta tarea será insoportable>"
   c. "No debiera tener que enfrentarme con este tipo de problemas".
   d. todas las respuestas anteriores son correctas.

10. Una excusa que puede apartarme de estudiar SOS y practicar sus principios es:
    a. el creer que no hay mucho que yo pueda hacer para calmar mi ansiedad, ira, o depresión
    b. "No tengo suficiente tiempo para responder a las preguntas y hacer los ejercicios."
    c. "Mi historia pasada determina mis sentimientos y conductas presentes."
    d. todas las respuestas anteriores son excusas para no estudiar y practicar los principios de SOS

11. Una creencia malsana es:
    a. "Habrá épocas en las que mi habilidad para manejar mis emociones se encontrará limitada."
    b. "Necesito aceptar lo que no puedo cambiar."
    c. "Debo tratar al mundo como es y no como yo desearía que fuera."
    d. Ninguna de las respuestas anteriores son pensamientos malsanos

12. La gente estaría mejor adaptada si:
    a. se aceptara a sí misma
    b. tratara de mejorarse a sí misma haciendo mejor las tareas
    c. expresara su ira y resentimiento en lugar de guardarlo
    d. se esforzara en mejorar sus habilidades sociales

13. En lugar de la creencia irracional "Yo siempre tengo que tener éxito", un pensamiento más racional sería:
    a. "Debo tener éxito"
    b. "El éxito no es importante."
    c. "No pienso amenudo en el éxito".
    d. "Prefiero y deseo tener éxito".

14. En la siguiente oración, ¿cuáles palabras debieran discutirse? "Yo debo ser querido y aceptado por todas las persona que son significativas para mí".
    a. yo
    b. debo ser
    c. querido y aceptado
    d. por todas las personas que son significativas para mí

15. El proceso principal que está en el centro de la perturbación emocional es:
    a. la ira y la baja auto-estima
    b. la baja tolerancia a la frustración
    c. no-lo-puedo-soportarismo
    d. la demanda exagerada y los tres deberes principales

Respuestas a las preguntas de la Parte Cuarta:
1a 2b 3c 4a 5d 6c 7c 8b 9d 10d 11d 12a 13d 14b 15d

Ejercicios de la Parte Cuarta que abarcan los Capítulos 10 y 11. Copie y complete.

Ejercicio A:

Copie el formulario del ABCDE del auto-análisis y mejoramiento. Elija una situación reciente (relacionada con la conducta de una persona difícil y con usted) que lo ha perturbado y complete el formulario.

Ejercicio B:

Vaya a la página siguiente y responda las cinco preguntas sobre el examen de Pamela.

LEA, ESTUDIE, PRACTIQUE

EL EXAMEN DE INGLÉS DE PAMELA

Pamela estudió mucho y sacó una "D" en su examen de inglés. Luego de sacarse una "D", Pamela se dice a sí misma: "No debiera haberme sacado una D en ese examen, pero como me la saqué, no valgo nada como persona y nunca voy a andar bien en los cursos de inglés. Probablemente jamás lograré tener un título universitario". Pamela sale de la clase sintiéndose deprimida, mira televisión durante el resto del día, y no va a ninguna de sus clases al día siguiente.

1. Pamela piensa: "No debiera haberme sacado..." y "no valgo nada como persona..." Esto es:
   a.   un acontecimiento activador
   b.   creencias y conversaciones mentales
   c.   consecuencias emocionales o conductuales
   d.   disputa

2. Pamela recibe una "D" en su examen. Esto es:
   a.   un acontecimiento activador
   b.   creencias y conversaciones mentales
   c.   consecuencias emocionales o conductuales
   d.   disputa

3. Pamela piensa "Probablemente jamás lograré tener un título universitario..." Esto es:
   a.   un acontecimiento activador
   b.   creencias y conversaciones mentales
   c.   consecuencias emocionales o conductuales
   d.   disputa

4. Pamela sale de la clase sintiéndose deprimida. Esto es:
   a.   un acontecimiento activador
   b.   creencias y conversaciones mentales
   c.   consecuencias emocionales o conductuales
   d.   disputa

5. Pamela mira televisión durante el resto del día y no va a ninguna de sus clases al día siguiente. Esto es:
   a.   un acontecimiento activador
   b.   creencias y conversaciones mentales
   c.   consecuencias emocionales o conductuales
   d.   disputa

Respuestas a las cinco preguntas sobre el Examen de Inglés de Pamela:
1b 2a 3b 4c 5c

Capítulo 13

Información Para Consejeros

ALBERT ELLIS EXPLICANDO LOS ABCS A LOS PSICÓLOGOS
ROGERS, PERLS, Y FREUD

"Resumiendo, los acontecimientos activadores A más nuestras creencias B y las conversaciones mentales causan en buena parte nuestras consecuencias C, emociones tales como la ansiedad, la ira, la depresión, y nuestra conducta. ¡Esto explica principalmente la causa de nuestras emociones y conductas, caballeros!"

Conversación técnica: las anotaciones en la pizarra indican: las Creencias son mayores que los Acontecimientos Activadores; los Acontecimientos Activadores más las Creencias son iguales a las Consecuencias: Emocionales y Conductuales; la Discusión lleva a los Efectos de la Discusión- Nuevas Emociones y Conductas. Los conceptos del Yo y el Ello se han descartado. Las personas sentadas, de izquierda a derecha son: Carl Rogers, Fritz Perls, y Sigmund Freud.

Albert Ellis dio permiso para que se lo incluyera en esta ilustración. El también sugirió que los conceptos A + B = C se ilustraran con A x B= C.

Aunque este capítulo está dirigido principalmente a los profesionales de la salud mental, puede ser que otras personas también lo consideren interesante. Describe los objetivos del programa de SOS Ayuda con las Emociones, sugiere quienes pueden beneficiarse con este programa, y provee información adicional sobre la terapia racional emotiva conductual (TREC).

SOS y la TREC hacen hincapié en la importancia de los tres deberes principales (exigencias) y las cinco conexiones calientes (condena y maldición, no-lo-puedo-soportarismo, no valgo nada, y siempre o nunca) en la creación y mantenimiento de la perturbación emocional.*

Objetivos de SOS Ayuda con las Emociones

Todos sentimos las emociones desagradables y malsanas de ansiedad, ira, y depresión. El objetivo principal de SOS Ayuda con las Emociones: Como Manejar la Ansiedad, la Ira, y la Depresión es ayudar a que la gente maneje mejor estas emociones.

A raíz de utilizar repetidamente los métodos y principios de SOS, se espera que las personas manejen más eficazmente los problemas y frustraciones de la vida y se desenvuelvan mejor en las relaciones con los demás. Podrán establecer y alcanzar objetivos de vida más realistas y también lograr mayor contento.

SOS enseña principios y métodos de auto-ayuda de la terapia cognitiva conductual y especialmente de la terapia racional emotiva y conductual (TREC).

---

* Conversación técnica: Las cinco conexiones calientes se llaman "conclusiones irracionales" o "derivados de los mayores deberes" en la terapia racional emotiva y conductual (Ellis, 1994). Yo prefiero el término conexiones calientes porque conducen a conversaciones mentales y sentimientos malsanos calientes y emocionalmente cargados. Las conexiones calientes están en la línea de CNC, NS.

La base de SOS es la terapia racional emotiva y conductual y la terapia cognitiva conductual. Referencias para más de 500 estudios sobre terapia racional emotiva y conductual se pueden encontrar en el sitio de internet: www.rebt.org

¿Quién puede beneficiarse de SOS?

Tanto los adultos como los adolescentes pueden beneficiarse con el estudio de SOS. En la terapia cognitiva y conductual, a diferencia de otros enfoques terapéuticos (por ejemplo psicoanalíticos, gestálticos, centrados en el paciente, etc.) es importante que los pacientes aprendan principios específicos y habilidades de auto-ayuda. a través de la lectura, el estudio y el completar las tareas asignadas.

SOS enseña principios y métodos valiosos usados en la terapia cognitiva y conductual. Al recomendar SOS, los profesionales de la salud mental pueden ayudar más eficazmente a sus pacientes. También aquellos profesionales que guían y aconsejan a los adultos y a los jóvenes van a encontrar que SOS es una herramienta agradable y útil.

La terapia cognitiva conductual provee ayuda en forma de terapia y orientación individual, terapia grupal, enseñanza a la juventud la causa y el control de sus emociones, orientación matrimonial y de relaciones interpersonales, orientación en problemas de abuso de sustancias, manejo de la ira, y otros programas que enseñan auto-control de las emociones y las conductas.

SOS está destinado para uso en:

- programas y servicios en las escuelas públicas
- clínicas y centros de orientación
- centros de salud mental
- hospitales
- programas de tratamiento para la ansiedad, ira, o depresión
- orientación matrimonial y de familia
- consultorio privado
- programas de tratamiento de drogas y alcohol
- otros programas de salud mental para jóvenes y adultos

Cursos en la universidad- SOS amenudo se recomienda como lectura suplementaria en cursos tales como:

- teorías de la personalidad y ajustes de personalidad
- teorías y métodos de psicoterapia y orientación
- prácticas en psicología y orientación
- psicología patológica, psicopatología
- otros cursos sobre la conducta humana

Cómo usar SOS en Orientación y Terapia
Deberes y Cuestionarios para los Pacientes

CÓMO ENTENDER NUESTRAS EMOCIONES

Capítuo 1. Cómo sentirse satisfecho y lograr sus metas personales

Capítulo 2: ABC Origen de Nuestras Emociones y de Nuestras Conductas

Capítulo 3: Auto-análisis de nuestros ABC's

Cuestionario Uno y Ejercicios

CÓMO MANEJAR NUESTRAS EMOCIONES

Capítulo 4: Cómo Manejar Nuestras Creencias, Conversaciones Mentales, y Emociones

Capítulo 5: Cómo Arrancar sus Creencias Irracionales y sus Converscaciones Mentales

Capítulo 6: Creencias Irracionales y Conversaciones Mentales Comunes

Cuestionario Dos y Ejercicios

CÓMO MANEJAR LA ANSIEDAD, LA IRA Y LA DEPRESIÓN

Capítulo 7: Manejando la Ansiedad

Capítulo 8: Manejando la Ira

Capítulo 9: Manejando la Depresión

Cuestionario Tres y Ejercicios

CÓMO AYUDARNOS DE OTRAS MANERAS

Capítulo 10: Cómo Sobrellevar el Estrés de Tratar con Gente Difícil

Capítulo 11: Más Métodos Para Ayudarnos a Nosotros Mismos

Cuestionario Cuatro y Ejercicios

Asigne a sus pacientes los capítulos de SOS como tarea. Pídales a sus pacientes que luego de estudiar cada uno de los dos o tres capítulos, completen el cuestionario y los ejercicios que corresponden a esos capítulos. Lea el Capítulo 12, Cuestionarios y Ejercicios.

Para resolver dificultades emocionales utilizando TREC, los pacientes necesitarán completar cada día el formulario del ABCDE del Auto-Análisis y Mejoramiento. Este formulario se introdujo en el Capítulo Cinco. Un modo efectivo para que los pacientes adquieran esta habilidad es que el profesional de la salud mental y el paciente lo completen juntos varias veces. Es también importante el completar el Registro Diario del Animo (que se introdujo en el Capítulo Tres).

Talleres de Terapia Cognitiva e Información sobre los Permisos de Copyright

Las transparencias para el retropoyector y las diapositivas hacen que los talleres sean mucho más interesantes tanto para los profesionales como para los pacientes. Los profesionales que ofrezcan este tipo de talleres tienen permiso para hacer transparencias o diapositivas de Power Point (pero no folletos u hojas de ejercicios) de las ilustraciones y los cuadros de SOS siempre que se haga sólo una copia de cada ilustración o cuadro y que el siguiente permiso de copyright se incluya en cada transparencia o diapositiva. El letrero debe decir: "© 2002 por Lynn Clark. La ilustración es del libro SOS Ayuda con las Emociones, usado con permiso". Más abajo se da un ejemplo de copyright y el letrero de permiso que se ubica en las transparencias o en las diapositivas.

> © 2002 por Lynn Clark. La ilustración es del libro
> SOS Ayuda con las Emociones, usado con permiso.

Usted necesitta obtener un permiso escrito de SOS Programs & Parents Press para usar las ilustraciones o cuadros en folletos, hojas de trabajo, o en cualquier otra forma de transparencias o diapositivas de PowerPoint.

Terapias Cognitivas Conductuales

El término terapia cognitiva tiene dos significados, uno estrecho y otro amplio. Terapia cognitiva en el sentido estrecho se refiere al enfoque particular de terapia desarrollado por Aaron Beck.

En un sentido más amplio, terapia cognitiva o terapias cognitivas se refiere a aquellos enfoques de terapia, métodos, y terapeutas (por ejemplo Ellis, Beck, Meichenbaum, Burns) que enfatizan la importancia de las cogniciones en la determinación de las emociones y las conductas.

Las siguientes son las tres terapias cognitivas principales o sistemas de terapia cognitiva, depende del término que se prefiera.

- Terapia Racional Emotiva y Conductual (TREC-Ellis)
- Terapia Cognitiva (TC- Beck)
- Modificación Cognitiva Conductual (MCC-Meichenbaum)

Hay muchas similitudes y algunas diferencias entre los sistemas de terapia mencionados arriba. Los tres enfoques usan conceptos y técnicas de terapia de los unos y los otros. Los enfoques más influyentes con TREC y TC.

La terapia racional emotiva y conductual (TREC) se originó con el Dr. Albert Ellis in los años 1950. Los terapeutas contemporáneos consideran a Ellis como el abuelo de la terapia cognitiva (Corey, 1996).

Aaron Beck, al igual que Ellis, fue entrenado en psicoanálisis pero también lo halló insuficiente como método para ayudar a la gente. Beck comenzó a desarrollar su propio sistema ,que ahora se llama terapia cognitiva (TC), en los años 1960.

Donald Meichenbaum empezó a desarrollar el sistema de modificación cognitiva conductual (MCC) en los años 1970. Más ecléctico, Meichenbaum se concentró en el tratamiento del estrés postraumático en años más recientes.

Varias distinciones importantes existen entre los terapeutas de la TREC y otros de las terapias cognitivas conductuales (incluyendo terapia cognitiva). Una de las diferencias mayores es que la TREC asume que *las exigencias del paciente (por ejemplo los tres deberes principales)* son las causas principales de la perturbación y ayuda a que los pacientes desafíen esas exigencias. Los otros terapeutas cognitivos no tienen esta presuposición y por lo tanto no ayudan a los pacientes a que la desafíen.*

Vea el texto de Corey (2000), *Teoría y Práctica de Orientación y Psicoterapia* que compara y contrasta estos enfoques de terapia cognitiva que están relacionados.

Entrenamiento Profesional y Materiales para la Terapia Racional Emotiva y Conductual (TREC)

El Instituto Albert Ellis de Terapia Racional Emotiva y Conductual en Nueva York ofrece varios niveles de entrenamiento clínico de TREC para profesionales de la salud mental. Los talleres de formación profesional que se ofrecen periódicamente se dan también en distintas ciudades en los Estados Unidos. El catálogo y la página de internet del instituto describe las oportunidades de entrenamiento para los profesionales.

El instituto ofrece libros y videos profesionales como así también materiales y libros de auto-ayuda. Pida el catálogo a:

Albert Ellis Institute for Rational Emotive Behavior Therapy, 45 East 65th Street, New York, NY 10021. El teléfono es (212) 535-0822 o (800) 323-4738. El sitio de internet es <www.rebt.org>

Las sesions de terapia de TREC (las sesiones reales, no las dramatizadas) están disponibles en videos para profesionales de las salud mental si se piden por carta con

---

* Comunicación personal con Don Beal.

membrete profesional. Se pueden conseguir cintas con más de diez sesiones de terapia, cuya duración puede ser de 38 a 55 minutos. Las entrevistas de terapia está dirigidas por Albert Ellis, Ray DiGiuseppe, Dominic DiMattia, Janet Wolfe, y otros terapeutas de TREC. Por supuesto, los pacientes dieron autorización para que se los filmara y las entrevistas estuviesen disponibles para los profesionales de la salud mental.

Estas series de cintas que comenzaron a producirse a mitad de los años 1990 incluyen leyendas superpuestas a las grabaciones en vivo con comentarios breves de los terapeutas que ayudan a telespectador a que siga los pasos de la terapia. Los pasos de terapia descriptos en Un Manual Básico de Terapia Racional Emotiva (Dryden y DiGiuseppe, 1990) corresponden a los pasos, leyendas, y comentarios en las cintas y son una herramientas de aprendizaje útil. Tanto el manual como las cintas pueden pedirse al instituto Albert Ellis.

Algunas entrevistas guiadas por terapeutas femeninas se pueden hallar en cintas de video. Las entrevistas de TREC guiadas por Janet Wolfe son únicas en este sentido. Mis estudiantes, tanto mujeres como hombres disfrutan viendo a la Dra. Wolfe entrevistando a sus pacientes.

Los libros de TREC que recomiendo a los terapeuta incluyen los siguientes.* Se pueden conseguir del instituto Albert Ellis.

Dryden, W. & DiGiuseppe, R. (1990). *A Primer On Rational- Emotive Therapy*. Champaign, IL: Research Press. Considere también los videos de TREC que se acaban de describir.

Dryden, W. & Neenan, M. (1994). *Dictionary Of Rational Emotive Behaviour Therapy*. London: Whurr Publishers. Este libro es más que un simple diccionario y una lectura interesante para terapeutas.

Ellis, A. (1998). *How to Control Your Anxiety before It Controls You*. New York: Citadel Press.

---

* Nota de la traductora: Se incluyen los títulos originales en Inglés. Algunos de ellos están traducidos y se pueden conseguir a través de sitios de internet.

Ellis, A. (1994). *Reason And Emotion In Psychotherapy.* (2nd ed.). New York: Birch Lane Press of Carol Publishing Group.

Bernard, M. & Wolfe, J. (Eds.). (2000). *The REBT Resource Book For Practitioners,* 2nd ed. New York: Albert Ellis Institute For Rational Emotive Behavior Therapy.

Walen, S., DiGiuseppe, R., & Dryden, W. (1992). *A Practitioner's Guide To Rational-Emotive Therapy.* (2nd ed.). NY: Oxford University Press.

Información sobre formación profesional en terapia cognitiva y materiales se pueden conseguir en el Instituto Beck. La dirección es: Instituto Beck de Terapia e Investigación Cognitiva, GSB Building, City Lane and Belmont Avenues, Suite 700, Bala Cynwyd, PA 19004-1610. El teléfono es (610) 644-3020 y la página de interenet es: http://www.beckinstitute.org

David Burns, el autor de "Feeling Good: The New Mood Therapy" (Sentirse Bien: La Nueva Terapia del Animo) ofrece talleres de terapia cognitiva conductual de excelente reputación en varias ciudades que están abiertos a profesionales de la salud mental. Vea: http://www.feelingood.com

Las terapias cognitivas conductuales son un enfoque valioso en la auto-ayuda y ofrecen modos eficaces para asistir a los adultos y los jóvenes. La terapia cognitiva conductual está creciendo en importancia debido al énfasis en una terapia más breve y en investigación que valida este tipo de tratamiento.

Los medios de comunicación están dando amplia atención a la terapia congnitiva conductual y sus métodos en cuando se puede aplicar en una variedad de problemas y perturbaciones.

Sigmund Freud (1856 -1939) es el fundador del psicoanálisis. Mi familia y yo visitamos su oficina (ahora es un museo de psicoanálisis) en Vienna, Austria, donde practicó terapia durante 25 años.

Albert Ellis (1913 - 2007) su entrenamiento inicial fue como psicoanalista, pero se separó de este enfoque de ayuda a la gente. Se lo conoce como el padre de la terapia racional emotiva conductual y abuelo de la terapia cognitiva conductual. Ellis es el primer terapeuta que acentuó el rol que las conversaciones mentales y las creencias tienen en modelar nuestras emociones, nuestros problemas y perturbaciones emocionales. <www.rebt.org>

Referencias

Alberti, R. & Emmons, M. (2001). *Your perfect right. 8th ed.* San Luis Obispo, CA: Impact Publishers.

American Psychiatric Association. (2000). *Diagnostic and statistical manual of mental disorders, Fourth Edition, Text Revision.* Washington, DC: American Psychiatric Press.

American Psychiatric Association. (1994). *American psychiatric glossary.* Washington, DC: American Psychiatric Press.

Beal, D., Kopec, A. M., & DiGiuseppe, R. (1996). Disputing clients' irrational beliefs. *Journal of Rational-Emotive & Cognitive Behavior Therapy*, 14, 215-229.

Beck, A. T., & Emery, G. (1985) *Anxiety disorders and phobias: A cognitive perspective.* New York: Basic Books.

Beck, A. & Rush, J. (1995). Cognitive therapy. In H. Kaplan & B. Sadock (Eds.), *Comprehensive textbook of psychiatry, VI,* (pp. 1847-1850). Baltimore: Williams & Wilkins.

Beckfield, D. (1994). *Master your panic and take back your life.* San Luis Obispo, CA: Impact Publishers.

Bernard, M. & Wolfe, J. (Eds.). (1993). *The RET resource book for practitioners.* New York: Albert Ellis Institute For Rational Emotive Therapy.

Bernard, M. & Wolfe, J. (Eds.). (2000). *The REBT resource book for practitioners, 2nd ed.* New York: Albert Ellis Institute For Rational Emotive Therapy.

Bolles, R. (2001). *What color is your parachute?* Berkeley, CA: Ten Speed Press.

Bolton, R. (1979). *People skills.* New York: Touchstone.

Borcherdt, B. (1989). *Think straight! Feel great.* Sarasota, FL: Professional Resource Exchange.

Bramson, R. (1981). *Coping with difficult people.* New York: Ballantine.

Burns, D. (1999). *Feeling good: The new mood therapy.* New York: Avon Books.

Burns, D. (1999). *The feeling good handbook.* New York: Plume.

Carnegie, D. (1998). *How to win friends and influence people. Rev. ed.* New York: Pocket Books.

Clark, L. (2005 with 2008 Revisions). *SOS help for parents: A practical guide for handling common everyday behavior problems. 3rd. ed.* Bowling Green, KY: SOS Programs & Parents Press.

Clark, L. F. & Neuringer, C. (1971). Repressor-Sensitizer personality styles and associated levels of verbal ability, social intelligence, sex knowledge, and quantitative ability. *Journal of Consulting and Clinical Psychology*, 36, 183-188.

Corey G. (2000). *Theory and practice of counseling and psychotherapy.* 5th ed. Wadsworth Publishing.

DiGiuseppe, R. (1989). *What Shall I Do With My Anger: Hold It In Or Let It Out?* [Audiotape]. New York: Albert Ellis Institute For Rational Emotive Therapy.

DiGiuseppe, R., Tafrate, R., & Eckhardt, C. (1994). Critical issues in the treatment of anger. *Cognitive And Behavioral Practice, 1,*111-132.

Dinkmeyer, D. & McKay, G. (1998). *Parenting teenagers: Systematic training for effective parenting of teens.* Circle Pines, MN: American Guidance Service.

Dryden, W. (1990). *Dealing with anger problems: Rational-emotive therapeutic interventions.* Sarasota, FL: Professional Resource Exchange.

Dryden, W. & DiGiuseppe, R. (1990). *A primer on rational-emotive Therapy.* Champaign, IL: Research Press. Available from Albert Ellis Institute For Rational Emotive Therapy.

Dryden, W. & Neenan, M. (1994). *Dictionary of rational emotive behaviour therapy.* London: Whurr Publishers. Available from Albert Ellis Institute For Rational Emotive Therapy.

Covey, S. (1989). *The 7 habits of effective people.* New York: Simon & Schuster.

Ellis, A. (2001, June). General session. REBT/CBT Conference, Keystone, Colorado.

Ellis, A. (1998). *How to control your anxiety before it controls you.* New York: Citadel Press.

Ellis, A. (1991). *Dealing With Difficult People* [Audiotape]. New York: Albert Ellis Institute For Rational Emotive Therapy.

Ellis, A. (1994). *Reason and emotion in psychotherapy.* 2nd ed. New York, NY: Birch Lane Press of Carol Publishing Group. Available from Albert Ellis Institute For Rational Emotive Therapy.

Ellis, A. (1992). *How to stubbornly refuse to make yourself miserable about anything — Yes Anything!* Secaucus, NJ: Lyle Stuart.

Ellis, A. (date not known). *Conquering Low Frustration Tolerance* [Audiotape]. New York: Albert Ellis Institute For Rational Emotive Therapy.

Ellis, A. & Harper, R. A. (1997). *A guide to rational living.* Rev. ed. North Hollywood, CA: Wilshire Publishing.

Ellis, A. & Lang, A. (1994). *How to keep people from pushing your buttons.* New York, NY: Birch Lane Press of Carol Publishing Group. Available from Albert Ellis Institute For Rational Emotive Therapy.

Ellis, A. & Tafrate, R. C. (1997), *How to control your anger before it controls you.* Secauscus, NJ: Birch Lane Press.

Faber, A. & Mazlish, E. (1999). *How to talk so kids will listen & listen so kids will talk.* New York: Avon.

Gatchel, R. & Blanchard, E. (Eds.). (1993). *Psychophysiological disorders: Research and clinical applications.* Washington, DC: American Psychological Association.

Gold, M. (1989). *The good news about panic, anxiety, and phobias.* New York, NY: Bantam Books.

Goleman, D. (1995). *Emotional intelligence.* New York: Bantam Books.

Goleman, D. (1998). *Working with emotional intelligence.* New York: Bantam Books.

Hales, D. & Hales, R. (1996). *Caring for the mind: The comprehensive guide to mental health.* New York: Bantam.

Kopec, A. M., Beal, D., & DiGiuseppe, R. (1994). Training in RET: Disputational strategies. *Journal of Rational-Emotive & Cognitive Behavior Therapy*, 12, 47-60.

Merriam-Webster's collegiate dictionary. (10th ed.). (1996). Springfield, MA: Merriam-Webster Incorporated.

Neal, F., Davison, G., & Haaga, D. (1995). *Exploring abnormal psychology.* New York: John Wiley & Sons.

Norcross, J., Santrock, J., Campbell, L., Smith, T., Sommer, R., & Zukerman, E. (2000). *The authoritative guide to self-help resources in mental health.* New York: Guilford Press.

Nottingham, E. (2001). *It's not as bad as it seems.* Writer's Club Press.

Schaefer, C. (1994). *How to talk to your kids about really important things: For children four to twelve.* San Francisco, CA: Jossey-Bass Publishers.

Schaefer, C. (1999). *How to talk to teens about really important things: Specific questions and answers and useful things to say.* San Francisco, CA: Jossey-Bass Publishers.

Tannen, D. (1990). *You just don't understand: Women and men in conversation.* New York: Ballantine.

Walen, S., DiGiuseppe, R., & Dryden, W. (1992). *A practitioner's guide to rational-emotive therapy.* (2nd ed.). NY: Oxford University Press.

Warren, R. & Zgourides, G. (1991). *Anxiety disorders: A rational-emotive perspective.* New York: Pergamon Press (now Longwood Division of Allyn & Bacon).

Weinrach, S. (1996). Nine experts describe the essence of rational-emotive therapy while standing on one foot. *Journal of Counseling & Development,* 74, 326-331.

Wilson, G., Nathan, P., O'Leary, K., & Clark, Lee. (1995). *Abnormal psychology: Integrating perspectives.* Boston: Allyn & Bacon.

Wolfe, J. (1992). *What to do when he has a headache.* New York: Hyperion. Available from Albert Ellis Institute For Rational Emotive Therapy.

SOS está basado en la terapia racional, emotiva, y conductual y la terapia cognitiva. En la página de internet <www.rebt.org> se listan más de 500 estudios sobre investigación de resultados clinicos.

Lenguage técnico: el fundamento técnico de SOS está basado en la terapia racional emotiva y conductual y en la terapia cognitiva conductual. Se pueden encontrar referencias de más de 500 estudios sobre terapia racional emotiva y conductual en el sitio de internet: www.rebt.org

Indice General

Para algunos términos tales como "ansiedad" las referencias son muy numerosas para incluírlas todas en esta lista. En esos casos, sólo se incluyen las referencias más importantes.

LEA, ESTUDIE, PRACTIQUE SOS

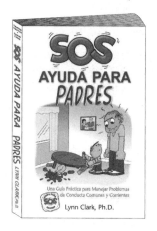

SOS Ayuda Para Padres

DVD Video SOS Ayuda Para Padres
www.sosprograms.com

NO ESPERE HASTA QUE SU HIJO SEA UN
ADOLESCENTE PARA MEJORAR SUS
HABILIDADES COMO PADRE.

Visite nuestro sitio de internet y vea las
muestras de los videos de SOS sobre
métodos para manejar la conducta de los
niños, tanto en Español como en Inglés.
Puede bajar copias gratis de los materiales
de SOS en <www.sosprograms.com>

SOS Programa de Educación Para Padres

El Libro *SOS Ayuda Para Padres*
El DVD Video SOS Ayuda Para Padres

ESCENA DEL DVD VIDEO DE SOS

¡Gracias por atar los zapatos de tu hermana!

SOS Ayuda Para Padres es un programa de educación para padres basado en un libro y DVD video que ayuda a que los niños entre los dos y los doce años mejoren su conducta y su adaptación emocional. Está recomendado internacionalmente y usado por psicólogos, pediatras, psiquiatras infantiles, maestros, y otros profesionales, como así también por padres. SOS enseña más de 20 métodos para ayudar a los niños y ofrece las intrucciones más completas para el uso del tiempo fuera de refuerzo.

El objetivo de SOS es ayudar a los padres a que sean mejores padres a través de un mejoramiento de sus habilidades para manejar la conducta. Los profesionales que educan a los padres, les dan consejos o les ofrecen servicios a los niños y a sus familias encontrarán que el libro y el video de SOS son herramientas útiles en la orientación y educación. Con más de 100 ilustraciones, el libro SOS Ayuda Para Padres es de lectura agradable y fácil comprensión.

(continua en la página 291)

"*El enfoque múltiple del programa de SOS Ayuda Para Padres hace que la información sea accesible para los padres y los niños en todos los niveles de funcionamiento y adaptación.*"
Journal of Marital and Family Therapy

Español SOS

SOS Ayuda Para Padres:
Una guía práctica para manejar problemas de conducta comunes y corrientes

Ediciones internacionales e idiomas

Inglés SOS

Turco SOS

Japonés SOS

Chino SOS
Beijing Normal Univ

Coreano SOS

Chino SOS
Taiwan

Húngaro SOS

Arabe SOS

Islandés SOS

Visite nuestra página de internet (www.sosprograms.com) y entérese de cómo puede usar el video de SOS para educar y aconsejar a los padres en el manejo de la conducta. Baje copias en español de los folletos especiales de estudio para los padres. Cada uno de los padres que participan necesita usar estos follettos con el programa de entrenamiento en DVD en Español que usted enseña. Vea también los clips del video y audio en Inglés y en Español en el sitio.

El DVD Video SOS Ayuda Para Padres

El DVD video SOS Ayuda Para Padres es utilizado por consejeros, clínicas, programa de tratamientos para niños, grupos de padres, educadores, lugares de culto, guarderías infantiles, centros de Head Start (enseñanza pre-escolar), profesionales de los servicios sociales, y clases universitarias. El DVD video de SOS está destinado para talleres de manejo de la conducta, desarrollo del personal, entrenamientos internos de las agencias, entrenamientos para maestros, y para el uso en clases universitarias.

La guía del video para el líder ofrece pautas para la presentación del programa. La primera parte del video se puede ver individualmente o en grupo.

En la segunda parte el líder debe guiar la discusión de los padres siguiendo cada una de las 43 escenas sobre la crianza de los hijos. La guía del DVD video para el líder ofrece preguntas para discutir y las respectivas respuestas para cada escena. Ejemplos de las preguntas para discutir y las escenas del video se presentan en las páginas siguientes. Cada participante recibe un folleto para los padres que incluye 20 reglas para la crianza de los hijos, los errores más comunes, y los métodos para manejar la conducta. Utilizando este folleto, se les pide a los participantes que identifiquen cuáles de las reglas y métodos están representados en la escena. Este métodos de enseñanza le da al líder de la discusióm una evaluación inmediata de cuánto están aprendiendo los participantes. Se sugiere que el programa completo basado en el video no se presente antes de la tercera sesión. El programa incluye un DVD de 72 minutos (que funciona internacionalmente), la Guia para el Líder, y folletos para los padres.

Conversación técnica: El enfoque de SOS sobre el manejo de la conducta y la educación para padres incluye principios de la teoría del aprendizaje, el refuerzo positivo, el aprendizaje social, la psicología humanista de Adler, y la escucha reflexiva aplicada a los niños. El programa, basado en el libro SOS Ayuda Para Padres es práctico, claro, fácil de comprender, y se apoya en investigaciones empíricas sobre el cambio de conducta. Sin embargo, el video es fácil de guiar y no requiere entrenamiento profesional.

SOS DVD Video Scene #17
from DVD Video Leader's Guide

REFUSING APPLE JUICE

Rule #3 Correct some bad behavior (but use mild correction only.)

The bad behavior is knocking the glass of water off the table and loss of self-control.

The mild correction is time-out. Mother provides an example of a "good command" in sending her son to time-out.

Script:

Mother brings apple juice and two crackers to Mitchell who is sitting at the table and demanding cookies.

Mitchell: *"No! I want those cookies!"*

Mom: *"You can have the crackers and apple juice to hold you over to dinner time. It will be ready in about 30 minutes and you may have cookies for dessert."*

Mitchell: *"I don't want any dumb juice!"* (Said as he knocks the glass off the table.)

Mom: *"Time-out! You knocked the glass over. Go now!"*

Mitchell: *"I don't want time-out! I want those cookies!"* (Said as he stomps off to time-out)

Questions, Answers, And Comments:

Q: Which rule or error did mother follow?

A: Rule #3 Correct some bad behavior (but use mild correction only).

Q: What is the bad behavior?

A: Knocking the glass over.

Q: What is the correction?

A: Time-out.

Q: When frustrated in the future, is the child more or less likely to lose control?

A: Less likely.

Q: Did mother use time-out correctly?

A: Yes. SOS recommends sending a child to time-out within 10 seconds following the bad behavior and using 10 words or less. Mother sent him to time-out immediately and used only 8 words. Also, mother gave a "good command" in sending her son to time-out.

Suggestions to Presenter: Save a long discussion on time-out until <u>after</u> this video program, and <u>then</u> offer training on time-out.

Technical comments:

Scene demonstrates mild correction of undesirable behavior using time-out. A "good command" is used in sending the child to time-out.

SWEEPING THE WALK

Rule #1 Reward good behavior (and do it quickly and often).

The good behavior is trying to help with work.

The reward is a social reward (descriptive praise).

This is also an example of mother setting a good example and daughter imitating mother's behavior.

SOS DVD Video Scene #18
from DVD Video Leader's Guide

Script:

Mother and daughter are sweeping the walk in front of their house.

Mom: *"Nicole, I sure like it when you help Mommy sweep the walk. You're doing a good job!"*

Nicole: (Child doesn't say anything, but continues working hard sweeping the walk.)

Questions, Answers, And Comments:

Q: Which rule or error did mother follow?

A: Rule #1 Reward good behavior (and do it quickly and often).

Q: What is the good behavior?

A: Helping mother with work, sweeping the walk.

Q: What is the reward?

A: A social reward (descriptive praise).

Q: Is the child more or less likely to help mother in the future?

A: More likely.

Q: What kind of social rewards did mother use?

A: Smiles, attention, and praise (descriptive praise).

Point To Make: Little Nicole doesn't have to do a perfect job to earn her mother's praise. Parents should reward <u>attempts</u> to do a chore. Also, mother is being a good role-model and Nicole is imitating mother's behavior. Most of what children learn is by observing their parents and others.

Technical Comments:

Scene illustrates positive reinforcement of daughter's desirable behavior, with a social reinforcer (descriptive praise). Scene also demonstrates social imitation (daughter is imitating mother's behavior) and shaping (rewarding an attempt to sweep the walk).

El DVD Video SOS Ayuda Para Padres

Un programa de educación y orientación para padres basado en la discusión del DVD video.

Españo y Inglés

**Vea clips del DVD video en el sitio de internet:
<www.sosprograms.com>**

Este DVD video de educación y orientación para padres está basado en el libro SOS Ayuda Para Padres e incluye un DVD de 72 minutos (que funciona internacionalmente, sin restricción de regiones), una Guía para el Líder del Video, folletos que se pueden reproducir, y el libro SOS Ayuda Para Padres.

El DVD Video del programa de SOS es usado por consejeros, grupos de padres, educadores, lugares de culto, y profesionales del servicio social. Está destinado para el uso en talleres para padres, desarrollo y entrenamiento del personal, entrenamiento para maestros, orientación para padres, y clases universitarias.

La primera parte se puede ver en grupo o individualmente. En la segunda parte el líder debe guiar la discusión de los padres siguiendo cada una de las 43 escenas sobre la crianza de los hijos. La guía para el líder del video, de fácil utilización, ofrece preguntas para discutir y sus respectivas respuestas para cada escena. Fácil de usar y placentero, el programa de Video SOS educa a los participantes en el uso de más de 20 habilidades en el manejo de la conducta. En este momento, se están usando más de 11,000 programas de video.

Vea clips del video en Españo en el sitio de internet: <www.sosprograms.com>

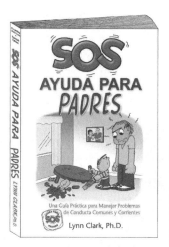

SOS Ayuda Para Padres:

Una Guía Práctica para Manejar Problemas de Conducta Comunes y Corrientes

- Hará que su vida sea más agradable

- Hará que su vida sea menos estresante

- Más de 254 páginas con ilustraciones

- Más de 20 métodos para manejar conductas difíciles

- Fácil de entender y aplicar

Lo que la gente opina de SOS

"SOS cambió a mi familia... yo recuperé realmente mi auto-confianza como madre."

- Madre de dos niños, Riverview, Michigan

"Lynn Clark... se basó en su experiencia de 20 años trabajando con padres y niños cuando escribió SOS Ayuda Para Padres."

- USA Today

"SOS es un libro sumamente exhaustivo.. un libro excelente. Lo recomentamos mucho."

- Journal of Child Clinical Psychology
(Revista del Psicología Clínica de los Niños)

Carlos analiza el ABC de su ira

A Acontecimiento Activador

"¡Dijo que mi nariz era enorme!"

Activa
Provoca

B Creencias y Conversaciones Mentales

"No tenía ningún derecho a hablarme así. Cómo se atrevió, no <u>debiera haberme</u> insultado. ¡Es un !!#%@ tonto! ¡Qué clase de !!#%@ persona puede decir semejante cosa! ¡No puedo-soportar que diga semejante cosa".

Causan

C Consecuencias:
Emocionales y Conductuales

"¡Estoy furioso! ¡Estoy enojadísimo! Siento deseos de romperle la nariz a ese !!#%@! ¡Aunque sea mi jefe, lo voy a regañar y exigirle una disculpa!"

D Disputa

"Un momento! Me estoy enojando. No es él quien controla mi enojo sino yo mismo. Estoy molesto pero no es necesario que me enoje. Preferiría que no me hablara así, pero soy yo el responsable de mi propia ira".

Sus ABCs de las Emociones: Una Herramienta de Auto-Ayuda
Se pueden hacer multiples copias para uso personal. No marque el original.

A Acontecimiento Activador

Piense en una acontecimiento o situación desagradable del pasado, o en una conducta equivocada de otra persona. La A puede ser también un acontecimiento futuro anticipado. Escríbalo aquí abajo.

Activa
Provoca
⟶

B Creencias y Conversaciones Mentales

Piense en sus creencias irracionales y conversaciones mentales, especialmente sus deberes principales, deberes absolutos, y las cinco conexiones calientes. Escríbalas aquí abajo.

Causan

C Consecuencias: Emocionales y Conductuales

Describa sus:
1. Emoción desagradable
2. Conducta realizada o contemplada.
Entrelas aquí abajo.

D Disputa

Luego de que usted haya aprendido a ingresar correctamente sus A, B, y C, dispútelas. Dispute y argumente en contra de sus creencias irracionales y conversaciones mentales, especialmente sus deberes absolutos y sus cinco conexiones calientes. Ingréselas aquí abajo.

Pasos para Manejar sus Emociones: los pasos son A, C, y luego B.
• Primero: ¿Cuál es su Acontecimiento activador negativo?
• Segundo: ¿Cuáles son las consecuencias de las emociones y conductas?
• Terecero: ¿Cuáles son sus creencias irracionales y conversaciones mentales que principalmente causan sus emociones y conductas?

ORDER FORM

SOS Programs & Parents Press, PO Box 2180,
Bowling Green, KY 42102-2180 USA

Visit our website at **www.sosprograms.com**
See free DVD Video and Audio Clips; download free materials

For your convenience, Place Orders by:
Website: www.sosprograms.com
Phone: 1-800-576-1582 toll free, or 1-270-842-4571
FAX: 270-796-9194, Email: sos@sosprograms.com
To order by phone call weekdays, 9:00am to 3:00pm Central Standard Time.
Contact us with any questions that you have. Bookstores can order from
Ingram and Baker & Taylor. Federal Tax: #61-1225614.
For VISA or MasterCard orders, clearly indicate which card, card
expiration date, card #, and phone #.

____ Copies of **SOS Help For <u>Emotions</u>** book for $16.00. A self-help
book for ages 14 to 90 and a handbook for counselors who use
cognitive therapy. (2nd Edition Book ISBN-10: 0-935111-52-2; ISBN-13: 978-
935111-52-1)

____ Copies of **SOS Help For <u>Parents</u>** book for $16.00. For parents of
children two to twelve years old and a handbook for professionals. In
English. (3rd Edition Book ISBN-10: 0-0935111-21-2; ISBN-13: 978-0935111-21-7)

____ Copies of Spanish book **SOS Ayuda Con Las Emociones** for $16.00.
(Spanish Emotions Book ISBN-10: 0-935111-75-1; ISBN-13: 978-0-935111-75-0)

____ Copies of Spanish book **SOS Ayuda Para Padres** for $16.00. For
parents of children 2 to 12 years old (& for professionals). (Spanish Book
ISBN-10: 0-935111-47-6; ISBN-13: 978-935111-47-7)

____ Copies of **"How To Use Time-Out Effectively"** audio program (67
minutes), Time-Out Guide, Time-Out Chart, & CD for $16.00. For
parents and parent workshops. (Audio ISBN: 0-935111-32-8)

____ **Free DVD SOS Sampler–Preview Video** (8 minutes long) to professionals
& educators, in English only. Includes sample parent handouts and
discussion guide. Free shipping.

____ **DVD Video SOS Help For Parents** education program for $180.00.
Free shipping within USA. Program includes 72 minute DVD (plays
internationally, region free), DVD Leader's Guide, Parent Handouts,
SOS Help For Parents book, and tests to measure how much
participants have learned. (SOS DVD ISBN: 0-935111-38-7) Visit our
website and see video samples. See description on pp. 205 - 208.

____ **DVD Video SOS Ayuda Para Padres** program for $180.00. Free
shipping within USA. Includes 72 minute DVD (plays internationally,
region free), DVD Leader's Guide, SOS Ayuda Para Padres book,
Spanish handouts, etc. (Spanish Video ISBN: 0-935111-48-4) Visit our
website and see a two minute video sample in Spanish.

ORDER FORM Continued

Orders from individuals must be prepaid by check or credit card. Agencies may FAX or phone their purchase orders. Federal Tax #61-1225614. Bookstores can order from Ingram and Baker & Taylor.

If not satisfied, I understand that I may return any SOS materials for a refund. Email is sos@sosprograms.com

Mailing Label — Please Print Clearly

Name: _____

Address: _____

City: _____ State: _____ Zip: _____

Credit Card Check One: ☐ VISA   ☐ MasterCard

Credit card Expiration Date _____

Account # _____

_____
Print name as it appears on card.

Daytime Phone (_____) _____
(Telephone number is necessary if credit card is used.)

Shipping: Include $6.00 shipping for first book or audio program and $1.00 shipping for each additional book or audio program. Shipping is by US Air Mail or UPS. We pay any taxes.

_____ *Quantity Discounts:* **If you are ordering at least five books, deduct 20% from the cost of the books. You may mix titles of books to total five.** The discount applies only to books & audio programs. *Many professionals make SOS books available to clients when they most need them - immediately! Counselors also loan SOS books with a $16 deposit. Clients keep books or return them!*

_____ I am a counselor, educator, or professional.
See our website at www.sosprograms.com for professional resources.

Foreign country orders: All orders must be prepaid in US funds **with credit cards, money orders or checks drawn on US banks**. For Canadian shipping double US shipping rates. Email us with questions.
Foreign editions of *SOS Help For Parents* or *SOS Help For Emotions* - call regarding availability. All available foreign editions are $16.00. Also, they may be ordered through the Amazon website of the country and language in which you are interested.

ORDER FORM
SOS Programs & Parents Press, PO Box 2180,
Bowling Green, KY 42102-2180 USA

Visit our website at **www.sosprograms.com**
See free DVD Video and Audio Clips; download free materials

For your convenience, Place Orders by:
Website: www.sosprograms.com
Phone: 1-800-576-1582 toll free, or 1-270-842-4571
FAX: 270-796-9194, Email: sos@sosprograms.com
To order by phone call weekdays, 9:00am to 3:00pm Central Standard Time. Contact us with any questions that you have. Bookstores can order from Ingram and Baker & Taylor. Federal Tax: #61-1225614.

For VISA or MasterCard orders, clearly indicate which card, card expiration date, card #, and phone #.

___ Copies of **SOS Help For <u>Emotions</u>** book for $16.00. A self-help book for ages 14 to 90 and a handbook for counselors who use cognitive therapy. (2nd Edition Book ISBN-10: 0-935111-52-2; ISBN-13: 978-935111-52-1)

___ Copies of **SOS Help For <u>Parents</u>** book for $16.00. For parents of children two to twelve years old and a handbook for professionals. In English. (3rd Edition Book ISBN-10: 0-0935111-21-2; ISBN-13: 978-0935111-21-7)

___ Copies of Spanish book **SOS Ayuda Con Las Emociones** for $16.00. (Spanish Emotions Book ISBN-10: 0-935111-75-1; ISBN-13: 978-0-935111-75-0)

___ Copies of Spanish book **SOS Ayuda Para Padres** for $16.00. For parents of children 2 to 12 years old (& for professionals). (Spanish Book ISBN-10: 0-935111-47-6; ISBN-13: 978-935111-47-7)

___ Copies of **"How To Use Time-Out Effectively"** audio program (67 minutes), Time-Out Guide, Time-Out Chart, & CD for $16.00. For parents and parent workshops. (Audio ISBN: 0-935111-32-8)

___ **Free DVD SOS Sampler–Preview Video** (8 minutes long) to professionals & educators, in English only. Includes sample parent handouts and discussion guide. Free shipping.

___ **DVD Video SOS Help For Parents** education program for $180.00. Free shipping within USA. Program includes 72 minute DVD (plays internationally, region free), DVD Leader's Guide, Parent Handouts, SOS Help For Parents book, and tests to measure how much participants have learned. (SOS DVD ISBN: 0-935111-38-7) Visit our website and see video samples. See description on pp. 205 - 208.

___ **DVD Video SOS Ayuda Para Padres** program for $180.00. Free shipping within USA. Includes 72 minute DVD (plays internationally, region free), DVD Leader's Guide, SOS Ayuda Para Padres book, Spanish handouts, etc. (Spanish Video ISBN: 0-935111-48-4) Visit our website and see a two minute video sample in Spanish.

ORDER FORM Continued

Orders from individuals must be prepaid by check or credit card. Agencies may FAX or phone their purchase orders. Federal Tax #61-1225614. Bookstores can order from Ingram and Baker & Taylor.

If not satisfied, I understand that I may return any SOS materials for a refund. Email is sos@sosprograms.com

Mailing Label — Please Print Clearly

Name: _____

Address: _____

City: _____ State: _____ Zip: _____

Credit Card Check One: ☐ VISA ☐ MasterCard

Credit card Expiration Date _____

Account # _____

_____
Print name as it appears on card.

Daytime Phone (_____) _____
(Telephone number is necessary if credit card is used.)

Shipping: Include $6.00 shipping for first book or audio program and $1.00 shipping for each additional book or audio program. Shipping is by US Air Mail or UPS. We pay any taxes.

____ *Quantity Discounts:* **If you are ordering at least five books, deduct 20% from the cost of the books. You may mix titles of books to total five.** The discount applies only to books & audio programs. *Many professionals make SOS books available to clients when they most need them - immediately! Counselors also loan SOS books with a $16 deposit. Clients keep books or return them!*

____ I am a counselor, educator, or professional. See our website at www.sosprograms.com for professional resources.

Foreign country orders: All orders must be prepaid in US funds **with credit cards, money orders or checks drawn on US banks**. For Canadian shipping double US shipping rates. Email us with questions. Foreign editions of *SOS Help For Parents* or *SOS Help For Emotions* - call regarding availability. All available foreign editions are $16.00. Also, they may be ordered through the Amazon website of the country and language in which you are interested.

UN POZO EN LA VEREDA
Autobiografía en Cinco Capítulos Breves

Capítulo Uno
Camino por la calle
Hay un pozo profundo en la vereda.
Me caigo. Estoy perdida... Me siento impotente. No es mi culpa.
Me toma una eternidad salir del hoyo.

Capítulo Dos
Camino por la misma calle.
Hay un pozo profundo en la vereda.
Hago cuenta de que no lo he visto.
Me caigo otra vez. No puedo creer que me he caído en el mismo lugar.
Pero no es mi culpa. Otra vez me toma mucho tiempo salir del hoyo.

Capítulo Tres
Camino por la misma calle.
Hay un pozo profundo en la vereda.
Lo veo.
Igual me caigo... es un hábito... pero,
Mis ojos están abiertos. Se dónde estoy.
Es mi culpa. Salgo inmediatamente.

Capítulo Cuatro
Camino por la misma calle.
Hay un pozo profundo en la vereda.
Lo evito.

Capítulo Cinco
Camino por otra calle.